レクチャー
第一次世界大戦を考える

カブラの冬

第一次世界大戦期ドイツの飢饉と民衆

Tatsushi Fujihara
藤原辰史

人文書院

「レクチャー　第一次世界大戦を考える」の刊行にあたって

京都大学人文科学研究所の共同研究班「第一次世界大戦の総合的研究に向けて」は、二〇〇七年四月にスタートした。以降、開戦一〇〇周年にあたる二〇一四年に最終的な成果を世に問うことを目標として、毎年二〇回前後のペースで研究会を積み重ねてきた（二〇一〇年四月には共同研究班の名称を「第一次世界大戦の総合的研究」へと改めた）。本シリーズは、広く一般の読者に対し、第一次世界大戦をめぐって問題化されるさまざまなテーマを平易に概説することを趣旨とするが、同時に、これまでの研究活動の成果報告としての性格を併せもつ。

本シリーズの執筆者はいずれも共同研究班の班員であり、また、その多くは京都大学の全学共通科目「第一次世界大戦と現代社会」が開講された際の講師である。「レクチャー」ということばを冠するのは、こうした経緯による。本シリーズが広く授業や演習に活用されることを、執筆者一同は期待している。

第一次世界大戦こそ私たちが生活している「現代世界」の基本的な枠組みをつくりだした出来事だったのではないか、依然として私たちは大量殺戮・破壊によって特徴づけられる「ポスト第一次世界大戦の世紀」を生きているのではないか——共同研究班において最も中心的な検討の対象となってきた仮説はこれである。本シリーズの各巻はいずれも、この仮説の当否を問うための材料を各々の切り口から提示するものである。

周知の通り、日本における第一次世界大戦研究の蓄積は乏しく、その世界史的なインパクトが充分に認識されているとはいいがたい。「第一次世界大戦を考える」ことを促すうえで有効な一助となることを願いつつ、ささやかな成果とはいいえ、本シリーズを送り出したい。

もくじ

はじめに——戦争と食糧

1　日本からみた「カブラの冬」——おなかがすいてはいくさはできぬ

七六万人の餓死者をもたらした飢饉が第一次世界大戦中のドイツで起こったことは、現在の日本ではあまりよく知られていない。ところが、当時、この飢饉は、ヨーロッパの主戦場から最も離れた参戦国の日本で非常に強い関心がもたれていた。日本でも食糧▼問題が政策の最重要課題に浮上していたからである。日本は、シベリア出兵に起因する一九一八年七月の米騒動＊を機に、本格的な帝国規模の食糧増産政策を打ち立て、植民地であった朝鮮と台湾を、日本内地へのコメ（ジャポニカ米）の供給地として整備しようとしていた。これを産米増殖計画と呼ぶ。興味深いことに、日本政府は産米増殖計画を進める一方で、ドイツ

▼ここでは仮に、ドイツ語のErnährung、つまり生命を保つために必要不可欠な糧の総体を「食糧」、ドイツ語でのLebensmittelを、一般的に用いられる「食べもの」あるいは「食料」と訳しておきたい。

米騒動
一九一八年七月二三日、富山県魚津市で漁民婦人たちが富山県産米の県外移出阻止運動を起こしたのをきっかけに、県内のみならず全国（一道三府三二県）にプロテストの波が広がった。運動は次第に激化し、コメの投機商人や米穀取引所、さらには高利貸などが襲撃され、警察にくわえ軍隊も出動した。物価が高騰し労働者の実質賃金が低下したにもかかわらず、政府の米価調節が失敗し、さらにシベリア出兵を見越した投機買い占めによって米価が急騰したことが、この背景にある。

の飢饉の状況も丹念に調べていたのである。

たとえば、一九一八年八月、外務省政務局は極秘資料『独逸に於ける食料問題調査』を作成する。この緒言では、イギリスの海上封鎖を「餓死的降服」を目的とする「経済戦」と定義したうえで、つぎのように日本の未来が心配されている。「刻下米価ノ調整ハ帝国ニ於ケル重要ノ時局問題タリ［。］我沿岸航路及陸上交通ノ全然自由ニシテ偶《たまたま》以テ船車不足ノ一事ハ遂ニ延《ひ》イテ米穀ノ配給ノ渋滞、全国暴民ノ蜂起ヲ見ルニ至ル、一朝戦時ニ際シ沿岸航通ノ遮断セラルガ如キ場合ニ於ケル国民ノ生活ハ蓋シ思ヒ半ニ過クルモノアラン。▼」米騒動の原因となった「配給ノ渋滞」について、ドイツの現状を自国に重ね合わせながら述べているのである。

また、海軍軍医の菊池貢は、一九二二年末からの半年間のドイツでの視察を経て、『世界大戦に於ける独逸の戦時食糧経済組織　上・下』（一九二五）をまとめた。二巻あわせて八〇三ページにものぼる浩瀚な報告書である。「日本将来有事の際の参考」のために書かれたこのレポートにも「戦時になりますと、今次大戦で見ました様に生産が著しく減ずる事と、輸入調整の殆ど不可能になる事を予め覚悟せんければならんと思ひます」と述べてあり、大戦（以下本書で大戦と記述するときは、原則として第一次世界大戦を指す）のような戦争が起こったら日本の食糧がどうなるのか、という危機感が執筆の一つの動機であることが分かる。

▼引用文中の旧字体は、新字体に直した。歴史的仮名遣いはそのまま表記した。

こうしたドイツの飢饉に対する日本人の関心は、しかし、同時代的なものばかりではなかった。一九四三年一月に出版された少年少女向けの啓蒙書『日本の米』(図1)の「戦う日本——おなかがすいてはいくさはできぬ」という章で、著者はその一年一ヵ月前に開戦した「大東亜戦争」を念頭におきながら、つぎのように述べている。

> 戦争は、戦場だけの勝ち負けできまるのではありません。戦に勝つても、負けた国があります。さきの世界大戦のときのドイツがそれです。あの戦争で、ドイツは、オーストリヤやトルコと組んで、英米はもちろん、世界の強い国々を向かふにまはして戦ひましたが、戦場では決して負けてはゐませんでした。……それだのに、とうとう連合国にかうさんしました。……/それは、いつたいどうしたことでせう。国のうちのたべ物がだんだんたりなくなり、物はたいへん高くなり、どうにもかうにもならなくなつたとき、敵国のスパイなどは、このときとばかり、いろいろな悪い話をことさらにいひふらして、人々の心をみだしたためです。/戦場で、一度この知らせを聞いた軍人は、ほんたうにくやしくて、くやしくてたまらなかつたといふことです。ヒットラー総統もそのころは、陸軍の伍長でしたが、やはり戦場にゐて、なんともかんとも、いへない気もちがし

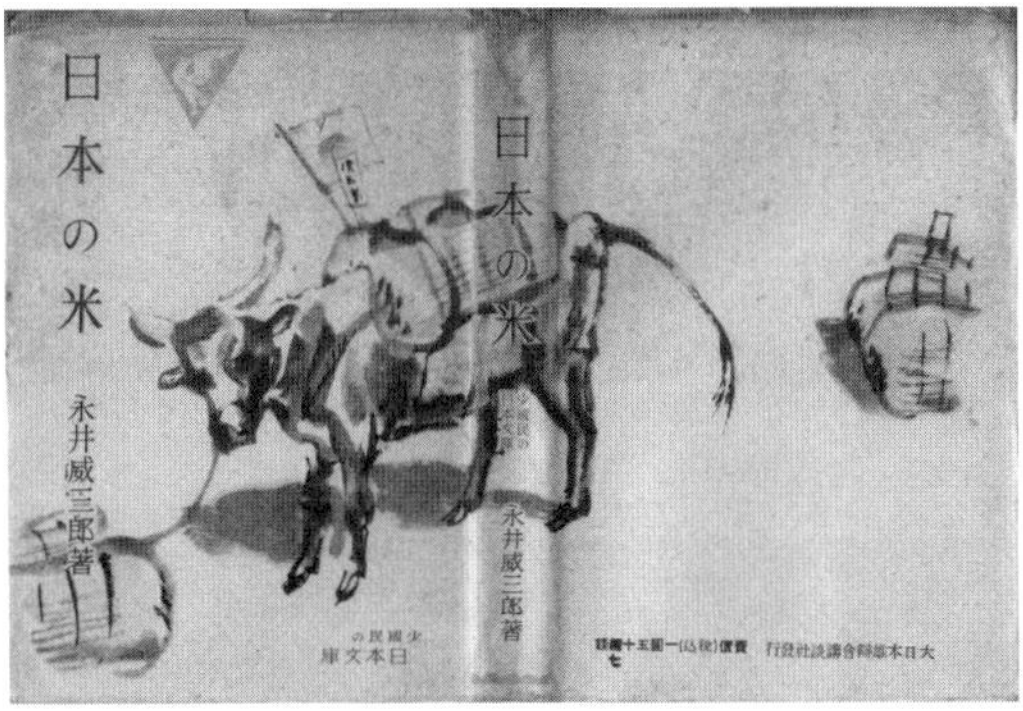

図1　永井威三郎『日本の米』(1944)

たと、後になつてあらはした本に書いてをります。／また、イギリスもたべ物に困り、ほんのわづかの間しか、もちきれなくなつてゐたさうです。ただ、ドイツより何日か何週間か、ささへる力がよけいにあつただけのちがひで、戦争はドイツの負けになつたのです。／ですから、あの大戦争は、つまりはたべ物のあるなしで、勝ち負けがきまつたとも考えられます。

この著者、永井威三郎は、作家の永井荷風の実弟としてよりは、メンデルの法則の紹介者、イネの品種改良の専門家、一九三〇年代後半からはとくに農学の啓蒙家として知られた人物であった。一九二〇年代半ばから約一〇年間、朝鮮総督府の農事試験場で新品種の育成や水稲栽培の技術的発展に尽力した永井は、産米増殖計画に力を入れ始めた帝国日本を、技術者として、のちには物書きとして支えてきた。それゆえに、「大戦争」のときのドイツに「大東亜戦争」を戦う日本を重ね合わせるのは、自然の成り行きであろう。

だが、それ以上に注目したいのは、永井が、「ヒットラー総統」の登場の背景として、大戦期のドイツで「たべ物がだんだんたりなく」なったこと、また、その理由として、当時、民族主義団体の鼓吹によりドイツの民衆のあいだに広く浸透していた「背後からの一突き伝説」の図式を、直接言及しているわけではないにせよ、説明に用いていることである。これは本書の重要な視点の一つでもある（第5章）。この伝説は、前線の戦闘ではドイツは勝っていたが、ユダヤ人と社会主義者が共謀して銃後を混乱させ革命を起こしたために戦争に負けた、というものである。この本の奥付に「文部省推薦」と記されていることからも分かるように、こうしたドイツの飢饉への強い関心は永井威三郎だけのものではなかった。

大戦期ドイツの飢饉の原因について予備大尉ヴァルター・ハーンがまとめた『食糧戦争』（一九三九）の日本語訳版（永川秀男訳、図2）が発行された日付は、その奥付によれば一九四〇年一二月二五日であった。この帯には、陸軍糧秣《りくぐんりょうまつ》本廠内《ほんしょうない》糧友会《りょうゆうかい》推薦としてつぎのように記されている。「今や、食糧問題は、世界総力体制下の一戦争部面として把握されなくてはならぬ。……ドイツ国民が、如何に其の教養を挙げて、刻下の総力戦と戦ひつゝあるか！　吾国に於ける喫緊重大なる食糧問題の解決に、教養人の積極的参戦の道を拓く好個の参考資料として、

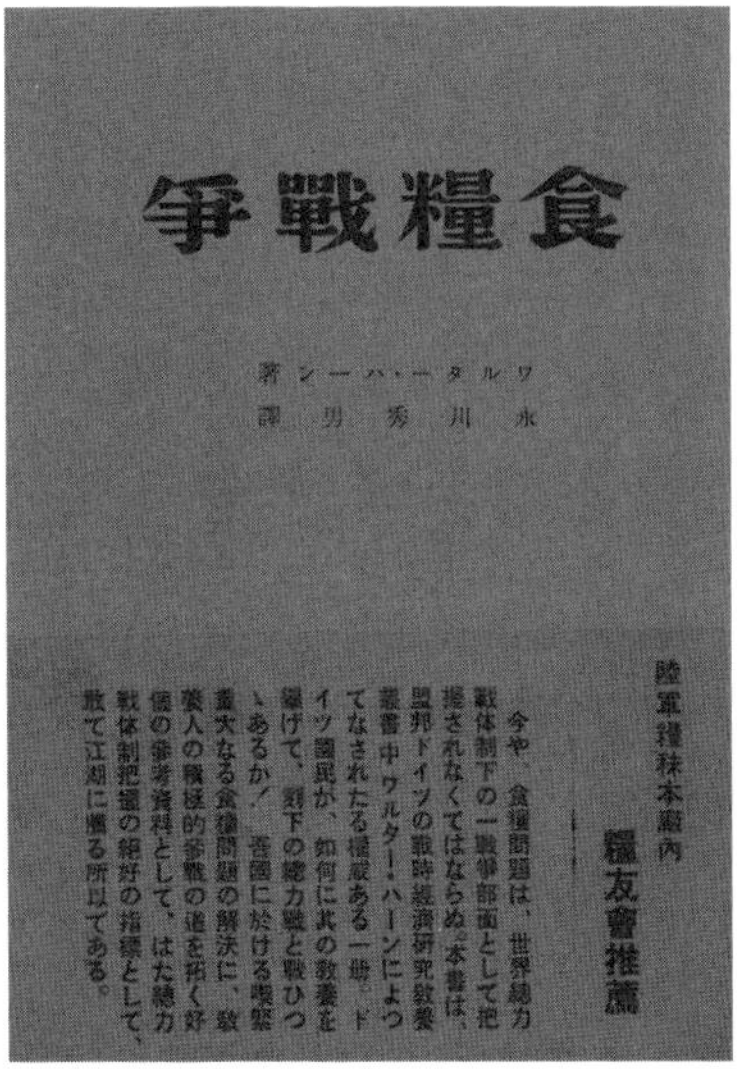

図2　ハーン『食糧戦争』（1940）

はた総力戦体制把握の絶好の指標として、敢て江湖に薦る所以である。」

ほかにも、一九四一年四月二〇日、ドイツのリベラル派農業経済学者フリードリヒ・エーレボー*の『世界大戦下の独逸農業生産』(一九二七)が澤田收二郎と佐藤洋の翻訳で出版されている。大戦中の食糧事情を論じたこの書の前編は、すでに一九三八年八月五日、『時局と農村』の第二巻に収められ世に出ていた。この訳者は「はしがき」でこう述べている。「我々が戦時に於ける食糧問題に就いて説き、或は戦時に於ける農業生産の崩壊に就いて述ぶる場合には意識せると意識せざるとを問わず、常に独逸の大戦時に於ける食糧不足の惨憺たる事情を念頭に浮かべてゐる。それは言はゞ戦時の食糧問題を論ずる者の念頭を去来する一つの幻影の如きものである。」この訳者は二人とも東京帝国大学農学部農業経済学科の出身である。一人は政府の様々な委員を歴任してきた篠原泰三、もう一人が、のちに日本農業の近代化を推進する法律的根拠、すなわち農業基本法(一九六一年)の制定に深く関わる東畑精一であることは、やはり見逃せない。盟邦ドイツの「惨憺たる」過去は、日本でもこれだけ広く、深く、そして長く受容されていたのである。

外務省政務局、海軍軍医、育種学者、陸軍糧秣本廠、農業経済学者など、様々な日本人が注目し、彼らの念頭に去来した「幻影」。いまこの出来事を忘却の淵から掬い上げることは、意味のないことではないだろう。あの「惨憺たる事情」は、二〇世紀前半の日本にとって切実な問題でありつづけたのだし、

フリードリヒ・エーレボー 一八六五〜一九四二年。二〇世紀初頭からナチス台頭まで、ドイツの農業経営学の発展に寄与した。彼の特徴は、農業経営を一つの有機体としてみることである。エーレボーに師事した日本人としては、満洲移民運動の指導者であった京都帝国大学農学部の橋本伝左衛門がいる。

いまなお、食糧危機の幻影は日本から去ったわけではないのだから。

2 飢える大国

戦争が始まったとき、ドイツはすでに大国と呼ぶにふさわしい地位を得ていた。二〇世紀初頭、工業、科学、軍事、いずれにおいても、他の西欧列強に匹敵するかそれ以上の力を有していた。イギリスやフランスより植民地保有面積は少なかったとはいえ、一九世紀後半から陸海とも交通網が発達し、アフリカの植民地、アジア、南アメリカや中東との結びつきを強めていた。農業生産技術も、世界最先端の化学と工学の応用によって急速な進歩を遂げつつあった。一九世紀から二〇世紀にかけての世紀転換期には、ヨーロッパではイギリスに次いで二番目に早く農村部と都市部の人口比率が逆転し、都市化が急速に進んだ。その都市部では豚肉や乳製品をはじめ、動物性タンパク質の需要が高まり、食生活をはじめ生活全般が大きく変化していた。一八九〇年三月のビスマルク辞任後、彼の均衡外交を転換したヴィルヘルム二世は、「世界強国《ヴェルトマハト》」を目指す「世界政策《ヴェルトポリティーク》」を唱え、海軍力を増強する(建艦競争)*。これは、イギリスの海の覇権に挑戦できるほどの経済力をすでに蓄えていたことの証左である。

ところが、これだけの経済的・軍事的発展を遂げ、生活の豊かさを謳歌していた国が、大戦中に飢饉に陥った。中立国から食料や肥料、飼料などが輸送さ

建艦競争
建艦競争(Naval Race/Flotten-konkurrenz)は、一八九八年のドイツの戦艦、巡洋艦を含む艦隊計画実施に端を発し、一九一三年の英仏海軍協定によるドイツ牽制にまで至る英独間で繰り広げられた艦隊建造競争。ビスマルク辞任後の首相カプリーヴィが唱えた「新航路政策」、海軍大臣ティルピッツの海軍拡張計画が背景にある。大戦前の両国の関係を悪化させる原因となった。

れるルートをイギリス海軍によって遮断されたドイツは、それに対抗するだけの艦隊を迅速に動員できなかったうえに、国内でも有効な食糧政策を打ち出せなかった。食料価格は高騰し、配給制が導入され、パンにはジャガイモの粉が混入される。そのジャガイモが開戦三年目に不作になると、人々はカブを食べはじめる。カブといっても、日本料理で用いられるあのカブではない。和名はカブハボタンもしくはスウェーデンカブ、英語名はルタバガ、スウェーデンが原産地とされるアブラナ科セイヨウアブラナ種の変種である。▼1 ジャガイモよりも糖分と脂肪分が多く含まれており、主にロシアと北欧、ドイツでは北部で食用として普及したのであるが、水分が大半を占め、味も悪い。あまり民衆に歓迎されない食物であり、次第に飼料として使用されるようになっていた。ドイツ史研究者は、このルタバガばかりが食卓に上るほど食糧難に陥った一九一六年から一七年にかけての冬を「カブラの冬」▼2 と呼んできた。植物分類学的には正確な名称ではないが、すでに慣習的に使用されてきたのと、この語自体にすでに歴史があるので、本書でも「カブラの冬」を採用したい。「カブラの冬」は、ドイツの飢饉の象徴であった。ただでさえ例年よりも寒い冬に、食べものも燃料も足りなくなったのである。

　大戦中に不足したのは、穀物やジャガイモだけではない。豚肉はドイツで最も愛されてきたし、いまなお最も好まれる肉だが、これが店頭から消える。豚肉が買えなくなるとスズメやカラスの肉、ネズミの肉のソーセージさえ食卓に

▼1　一七世紀にスウェーデンから持ち込まれたこの作物は、Steckrüben もしくは Kohlrüben と呼ばれた。よって、「カブラの冬」も、主として、Steckrübenwinter と Kohlrübenwinter という二つの表記が存在する。本書では、Steckrüben もしくは Kohlrüben のときは、ルタバガ、単に Rüben と略記されているときは、たとえそれがルタバガのことを指していても、カブもしくはカブラと訳した。

▼2　「カブラの冬」という名称がいったいいつ頃からどのようなメディアで使用されるようになったのかについては、まだ明らかにされていない。今後の課題としたい。

▼3　本書の第1章から第3章で用いた史料のうち少なからぬものは、旧東独で出版された『ベルリンの生活——回想録と報告書から構成する歴史的ルポルタージュ』（一九八三）に多くを負っている。ここには、大戦期ベルリンの民

上りはじめる。炊き出しには貧民が溢れ、食料品店の前には長蛇の列ができ、食料の密売商人が暗躍する。子どもたちは飢えて犯罪に手を染め、母親たちも畑の作物を盗んで子どもたちに分け与える。ある少年は、親のパンを盗み食いし、しかられるのが嫌で首を吊る（BL: 268）▼3。盗みもできないほど衰えた人々は餓死を待つしかない。一九一八年から一九一九年にかけて全世界で流行したスペイン風邪*や結核による死者を除いても、飢えて、あるいは栄養失調で死んでいった人間は、驚くべきことに七六万人を超えたのである。ベルリン少年裁判援助所、つまり逮捕された若者の裁判を援助する組織の所長であったルート・フォン・デア・ライエンは、一九一九年の報告「イギリスの飢餓封鎖とそれがおよぼす若者の犯罪および不良化に対する影響」のなかで、食肉工場、ジャム工場、パン屋などの食品工場で働く子どもたちがしばしば食料を盗み訴えられたことや、一三歳、一〇歳、八歳の三人の兄弟が隣の家の台所の戸の羽目板を切り取り、そこから台所にある「のどから手が出るほど欲しい」食べものを盗もうとした事例を紹介している。

　このような事例は、第2章で取り上げるように、戦時期の飢餓に起因する犯罪のほんの一端、きわめて平凡な事例にすぎない。銃後の人々は栄養不足でやせ細り、石鹸不足のため体を洗えない民衆の体臭が立ちこめる街で、食物へのアンテナを鋭敏にして生きていた。このような銃後の崩壊がドイツの生産力と前線の士気を衰退させるとともに、反戦運動を激化させ、戦争に終止符を打つ

衆の実態を伝える膨大な数の新聞記事や回顧録、ルポルタージュが掲載されており、大戦期の日常生活を窺う貴重な資料集となっている。興味深い史料は、原則としてその典拠にさかのぼり、その前後から新しい史料を見つける作業を行なった。ただそれでも、本書で紹介する史料が、ドイツ革命への道のりとして日常生活を掘り起こすという著者の一貫した態度に大きく影響されていることは否定できない。また、『ベルリンの生活』の史料解説には、誤謬も散見される。だが、こうした偏り・誤謬は末尾に挙げた参考文献や史料によって補正を試みた。また、引用元は、「レクチャーシリーズ」という本書の性格を鑑み、いちいち付けることをしなかったが、すべての事実は文末の参考文献や史料から抽出されたものである。ただ、『ベルリンの生活』からの引用だけは、混乱を防ぐために、（BL：引用ページ数）として、引用ページを明記した。

革命運動を導いたのである。

本書の目的は、この飢饉の内実を紹介し、さらにこの歴史的意義を考察することである。第1章以降に述べていくように、飢饉は、平時に沈潜していた社会の矛盾、農業生産構造や食料配分システムの脆弱性、そして飢える民衆の声を議会に反映できない政治システムを可視化させた。これまで遠い存在でしかなかった国家が身近な存在になった。戦時中に広がった低所得者層と高所得者層の食の不平等は、そもそも戦前から存在していた。つまり、大戦期の食糧問題を知ることは、「生命の保障」、そのために必要な「食の配分」、さらに配分の公平さを担保する「代表」という三つの根源的政治問題を見つめ直すことにつながるのである。ドイツ革命が、戦争の終結を訴えるばかりでなく、生命基盤を提供できない政府の無能に対し不信を突きつけたように。ここでは、食べるという人間の根源的な営みのなかに「配分」と「代表」という政治の原型ともいうべき問題が自然にかつ直接的に現れてくる過程を描いていきたい。そして結論を先取りしていえば、こうした大戦中の政治の原点回帰の経験が、生命活動の維持と拡大に政治を集中させていくようなナチズムを生みだす土壌になったのである。ナチス*は飢饉から多くを学び、食糧政策に反映させ、自給自足を唱えたのである。

以上の視角から、本書では、日本の読者にはまだ馴染みの薄い大戦期ドイツの飢饉の事実を、当時の新聞や文献あるいは欧米や日本での研究の成果に依拠

スペイン風邪
スペイン風邪は、一九一八年三月にアメリカで発生し世界中で流行したA型インフルエンザ。強毒性で感染力が強い。死者は少なくとも二五〇〇万人、多くて五〇〇〇万人ともいわれているが、大戦の犠牲者の数と重複するため、特定することは難しい。アメリカ軍の大戦への参戦とともにヨーロッパに上陸し、戦場および銃後において甚大な被害をもたらした。情報源が、情報が統制されていない中立国のスペインだったことから、この名前がついたといわれている。

ナチス
ナチスNazisは、主として、国民社会主義者Nationalsozialistの蔑称ナチNaziの複数形として用いられた。なお、ナチ党（国民社会主義ドイツ労働者党Nationalsozialistische Deutsche Arbeiterpartei）の前身ドイツ労働者党Deutsche Arbeiterparteiは敗戦後の革命のさなかの一九一九年一月五日に、ナチ党は一九二〇年二月二四日に結成された。

しつつ紹介・整理していきたい。まず、ドイツで発生した飢饉の原因（第1章）と実態（第2章と第3章）、つぎに、民衆のプロテスト（第4章）、さらにはその後の時代への影響（第5章）を具体例に即して追っていきたい。すると意外なことに、城内平和、シュリーフェン作戦、ルシタニア号事件、三級選挙法、無制限潜水艦作戦、ドイツ革命、ヴェルサイユ条約、背後からの一突き伝説、ケインズ、ナチズムといった二〇世紀前半を語るうえで必須の歴史用語が、食糧という一本の線でしっかりと結ばれることに気づくであろう。飢餓という人間の生命基盤の激震は、少なくともドイツ史の文脈では、第二次世界大戦までその揺れを継続させていたと私は考えている。世界恐慌期にも、一九三四年の旱魃のときにも、あるいは一九四五年の敗戦のときにも、常に大戦の飢餓の記憶が呼び起こされた。ナチスは飢えへの恐怖を有権者に訴えることで選挙戦を勝ち抜き、飢えを防ぐための生産者・消費者政策を一九三三年から開始した。第二次世界大戦中のドイツの食糧政策は、一九四四年までは機能していた。大戦の飢饉なくしてナチズムはありえなかったのである。

第1章　大国が飢える条件

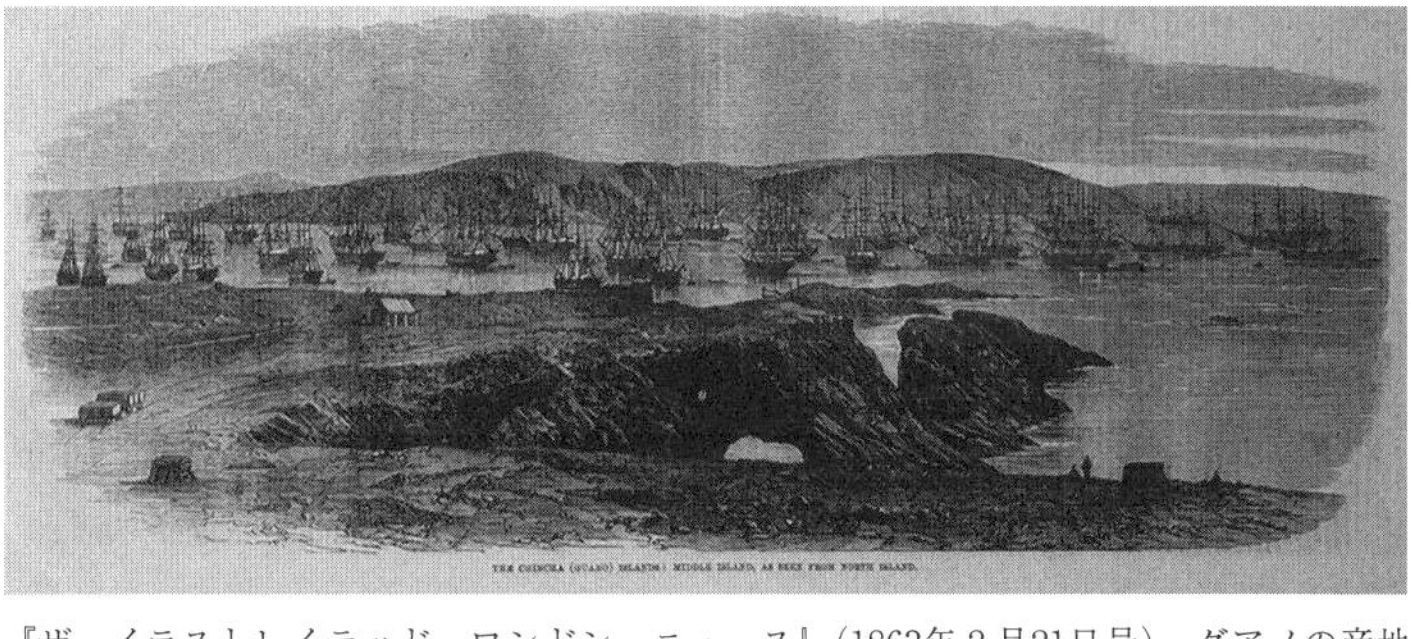

『ザ・イラストレイテッド・ロンドン・ニュース』(1863年2月21日号)。グアノの産地として有名なペルーのチンチャ諸島の光景。

1　餓死者七六万二七九六人の衝撃

これまで農業経済学者や歴史学者が示した、大戦期ドイツの飢餓および栄養失調が原因の死者の数は、七〇万人から八〇万人のあいだである。どの研究も、典拠は、最終的には一つの史料、つまり、一九一八年一二月に出版された帝国保健庁《ライヒスゲズントハイツアムト》の覚書『敵国の封鎖によるドイツ国民の人力の損害』（以下、『損害』）に行き着く。政府の公式統計を利用して餓死者を一の位まで推計している文献はこれを除いて皆無だからである。『損害』は、独英対訳のかたちで印刷されているが、これは停戦後もなおドイツへの「戒め」のため封鎖を続けるイギリスとそれを容認するアメリカに対する訴えだからである。

表１　第一次世界大戦期におけるドイツ国内の餓死者数

年	餓死者数（人）
1915	88,235
1916	121,174
1917	259,627
1918	293,760
合計	762,796

（Reichsgesundheitsamt,　S. 16.）

『損害』によれば、一九一五年から一九一八年までの餓死者の推移は表1のとおりである。ここには兵士は含まれない。もちろん、この数値だけでドイツ全土が飢えていたと判断することはできない。イギリスの経済学者オッファーは、当時の栄養状況に関する統計を示しながら、ドイツは飢餓に陥ったというよりは、食料供給が激しく増減するなかでギリギリのラインで生命をつないでいた、という解釈を示し、飢饉説を否定している。たしかに、戦争直後から約四年にわたって数百万人の餓死者を出したロシアと比較すれば、ドイツはむしろ飢饉を免れたとさえいえるかもしれない。けれども、前線での戦死者一八〇万人の四二パーセントにものぼる七六万二七九六人という数は、第二次世界大戦時のドイツ諸都市の空襲の死者約六〇万人、あるいは、広島および長崎に投下された原子爆弾による死者の合計約二一万人より、実は多い。図3は、世代別の女性（つまり銃後のマジョリティー）の死者数の推移である。どの年も寒さが募る二月から三月にかけて死者の数が絶頂に達し、しかもその山は年々高まっていく。とくに食糧不足が深刻化した一九一六年から一九一七年にかけてのとりわけ寒かった冬（カブラの冬）の影響が如実に表れている。大戦後期のドイツの銃後がどれほど熾烈な戦場であったかが、ここからも分かる。経済封鎖は、第二次世界大戦時の原子爆弾に匹敵するほどの破壊力を持った無差別大量殺戮兵器だったといっても決して誇張ではない。ちなみに、当時ドイツの総人口は、一九一四年七月一

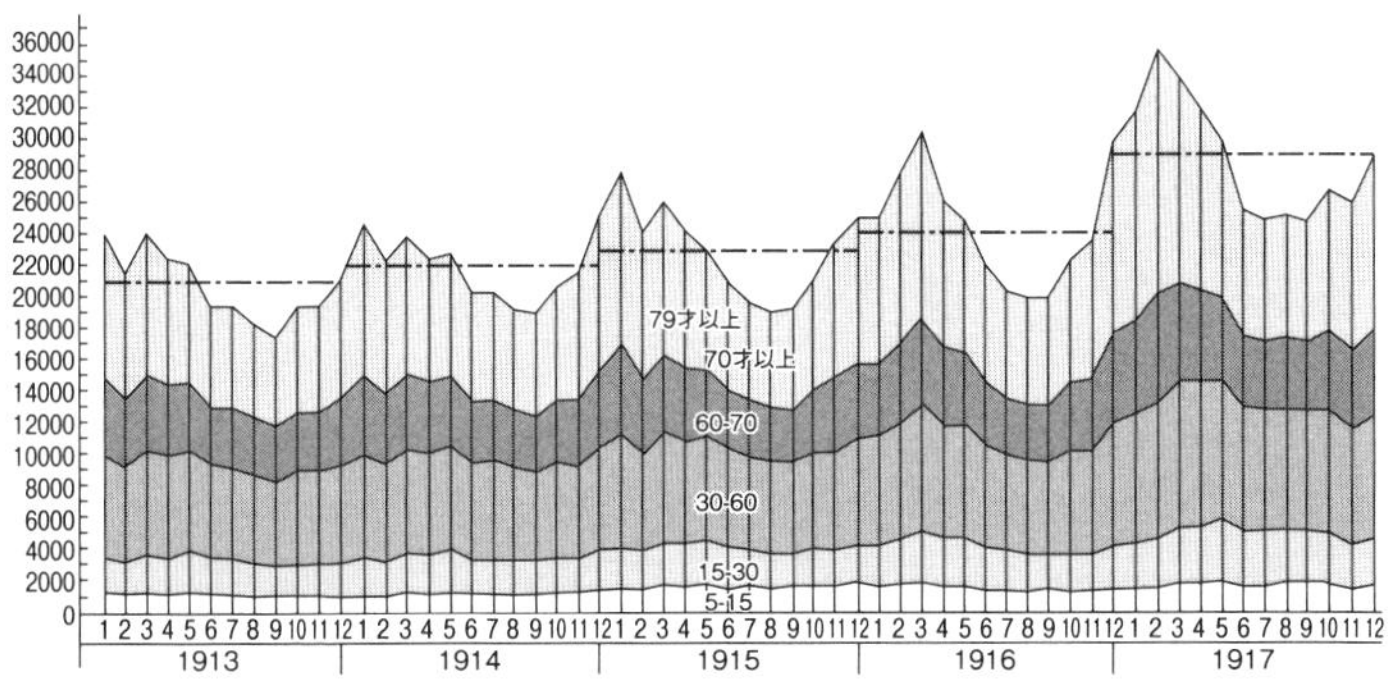

図３　第一次世界大戦期世代別女性の死者数の推移

註１：５歳以下の死者数が記されていないのは、出生数の減少が数に反映されないため。

註２：------はその年の平均死者数。

（Reichsgesundheitsamt, 附録.）

日現在で約六七七九万人、約一・一パーセントが餓死した計算になる。しかも、この統計は一九一八年の前半しか反映されていない。この年の後半に世界的に流行する強毒性インフルエンザの死者は、もちろん含まれていない。後半、気温が低くなることを考えればさらに多くの死者を見積もる必要があるだろう。たとえば、ナチ農業政策の研究者グスターヴォ・コルニとホルスト・ギースは八〇万人という数字をはじき出している。

けれども、これらの死者は、『損害』やライエンが主張するように、本当にイギリスの封鎖だけによってもたらされたのだろうか。経済学者のアウグスト・スカルヴァイトは、一九二七年に『ドイツの戦時食糧経済』を出版し、大戦中のドイツの食糧経済システムがいかに成立し、いかに崩壊していったのかを詳細に論じた（いまなお多くの研究者が参照する重要文献である）。スカルヴァイトは、この書の冒頭でこう断じている。「食糧経済の領域において、ドイツ帝国は全く無防備のまま世界大戦に突入した。戦時のための食糧備蓄も、戦時食糧経済を管理する組織のための練られたプランも存在しなかった。」唯一考えられたのは、動員によって交通が遮断される第一週に、腐れやすい食物やミルクを大都市に運搬できるようにしておくことだけであった。ほとんど誰もが、戦争中に食糧不足になることを予想していなかった。経済的な繁栄を誇るドイツが飢えるはずがないという楽観主義、あるいは食糧に対する無関心にドイツ人のほとんどが支配されていたのである。

戦後の研究者は、イギリスの飢餓封鎖とドイツの政策の失敗という二つの要素のどちらかを強調する傾向があった。ドイツ農業史の研究者（エーレボー、ハウスホーファー、ヘニングなど）は、帝国保健庁と同様、連合国側の経済封鎖をドイツの飢餓の主因とし、アメリカの歴史家ヴィンセントも外交分析から経済封鎖の非人道性を強調した。一方で、「ドイツが全資源を戦争に振り向けずに食糧の生産と流通のために一部をとっておいたならば、食糧自給は充分に可能であった」という歴史学者のマクニールの指摘は、総力戦の網羅的性格と海上封鎖の効果をあまりにも低く評価しすぎている。この点、イギリスの歴史家ホブズボームのつぎのまとめはバランスがとれているといえよう。「イギリス側は、ドイツへの補給を封鎖するために、つまりはドイツの戦争経済とドイツの人口の双方を飢えさせるために、全力をあげた。この封鎖作戦は、予想外の効果をおさめた。ドイツの戦争経済は、ドイツ人が自慢していたほどには能率的、合理的に運営されていなかったからである。」本書も、連合国側の意図と政策の責任は重いが、ドイツの食糧政策の杜撰さが連合国側の意図以上の成果をもたらしたことは否定できない、というスタンスである。ただ、ドイツの無制限潜水艦作戦だけが非人道的行為で国際法違反だったわけではなく、その背景にイギリスの国際法違反の非人道的措置があったことは、あらためて確認しておかねばならない。これから述べていくように、大戦では、こうした非人道的措置の応酬が報復という名のもとに繰り返されて、エスカレートしていったのである。

以下では、より具体的な飢饉の条件を考えていく。その条件として、海上封鎖、短期決戦構想の挫折、食糧流通構造の崩壊、そして食糧生産構造の崩壊の四点を挙げたい。

2 兵糧攻めをうける「城」——イギリスの海上封鎖

同時代のドイツ人は、イギリスの海上封鎖を Aushungerung と呼んだ。この訳語としてしばしば「兵糧攻め」という語が用いられてきたが、本書でもこの語を使用したい。なぜなら、当時のドイツの政治史的文脈に符合するからである。

一九一四年八月一日、皇帝ヴィルヘルム二世は、ベルリンの宮殿前で「ひとたび戦争となれば、党派はすべて姿を消し、我々みなが兄弟となる」と演説した。首相テオバルト・フォン・ベートマン・ホルヴェーク*の起草である。ドイツ社会民主党の戦費協賛の確保が狙いであった。ベートマン・ホルヴェークの目論見通り、八月四日、戦時公債をふくむ戦時立法は満場一致で採択され、その後、帝国議会は休会。政党間の論争は事実上停止した。社会民主党には、ロシアに対する防衛という説明がなされた。社会民主党の「反動的なツァーリのロシア」への反感を煽ったのである。戦時中には、「戦時社会主義」というスロ

テオバルト・フォン・ベートマン・ホルヴェーク 一八五六〜一九二一年。ドイツの政治家。一八八六年内務省に入り、一九〇七年に内相、一九〇九年七月に、ドイツの首相になった。ヴィルヘルム二世の世界政策に反対し、イギリスとの緊張緩和をはかったが、海軍相のティルピッツの拡張路線を抑えることができず失敗。軍部とは距離をとりつづけながら、帝国主義的な戦争目的の構築を目指すなど、戦争に関してはアンビヴァレントな態度をとりつづけ、国内の対立激化を招いた。歴史家のフィッシャーは、彼の帝国主義的な政策に着目し、ドイツの膨張主義の本流に位置づけた。一九一七年七月に辞任。

ーガンさえ登場した。こうした一連の党派間の協定・妥協は「城内平和《ブルクフリーデン》」と呼ばれた。それゆえ、この「城」をイギリスが海軍力で包囲し、「兵糧攻め」によって城内の物資を欠乏させ、党派間および階級間の「平和」をかき乱した、という比喩は、現実からそれほど遠くはないだろう。

　では、そもそも海上封鎖とは何か。これは、一八五六年四月一六日の「海上法の要義を確定する宣言」（パリ宣言）、一九〇九年二月二六日の「海戦に関するロンドン宣言」▼によって国際法上適法とみなされた戦時措置である。ロンドン宣言によれば、封鎖の手順は、まず封鎖の告知を行なったうえで、国家が敵国の港湾等に対し海上兵力をもって封鎖線を設定し、海上からの敵の交通を遮断するところから始まる。「封鎖」を宣言した国は、この封鎖線を越える船舶や貨物はいかなる国籍のものでも捕獲できる。貨物は、戦時禁制品、条件付禁制品、自由品の三つに分けられる。食糧は「条件付禁制品」の第一項に記載されていた。にもかかわらず、イギリスは、一九一四年八月二〇日と一〇月二二日の勅令によってロンドン宣言のリストを否認、ドイツの輸入品のほとんどすべての物品を戦時禁制品に指定する。そしてついに、食糧も、軍隊以外に用いられる場合でも、一九一五年一月に戦時禁制品リストに、自由品の肥料も禁制品に加えられる。これでイギリスは、一九一三年の最大の穀物貿易輸入相手国だったアメリカやカナダからドイツへの食料輸入船を、全て拿捕《だほ》できるようになった。

▼第二四条（条件付禁制品）戦争用にも平時用にも供することができる次の物件及び資材は、条件付禁制品の名義の下に、当然戦時禁制品とみなす。
一　食糧
二　獣類の飼料用に適するまぐさ及び穀類
三　軍用に適する衣服、被服用織物及び靴類……
第三三条（条件付禁制品の拿捕）条件付禁制品である物品は、敵国の軍隊又は行政庁の使用に仕向けられたことを立証されたときは、拿捕される。但し、行政庁に仕向けられた場合において、右の物品が事実上戦争のために使用されないことを諸般の状況により立証されたときは、この限りでない。……

表向きでは、こうした措置は「ドイツによる中立国商船を偽装した機雷敷設に対する復仇」であった。だが、建艦競争を経てもなお優越する海軍力を有し、海上通商ルートを支配しているイギリスの実際のもくろみは、直接の戦闘を避け、遠隔操作で相手国の弱体化を図ることにほかならなかった。しかも文民の弱体化である。戦争直前の統計によると、ドイツでは、二〇九〇の蒸気船と二九八の帆船、合計二三八八の商船によって商品が輸送されていた。これらの総重量は、約五五〇万トンであった。

また、ドイツの対応の鈍さも見過ごすことができない。七月二八日以降、六二三のドイツの商用蒸気船が中立国の港に逃避し、イギリス、フランス、ロシアの港で碇泊させられた船は、二〇〇万トン（全体の三六パーセント）を超えた。さらに、八月前半だけで七〇万トンの商船が拿捕された。しかしながら、早期に戦争が決着すると踏んでいた軍指導部は、この問題にほとんど関心を払わなかったのである。

報復合戦が始まったのは半年後であった。一九一五年二月四日、ドイツは、イギリス海峡およびその諸島を囲む全水域を交戦区域とし、この水域に見出される敵の船舶はすべて攻撃すると宣言。二月一八日、ついに、この無警告爆沈がスタートする。これに対し、イギリスも、一九一五年三月一一日、敵国向け輸出品の没収を宣言し、全てのドイツの港を封鎖する。中立国の商船は、いくら大口の貿易相手でも危険を冒してまで海上輸送することがなくなった。同年五月七日には、アイルランド沖を通行中のニューヨーク発リヴァプール行きのイギリス豪華客船ルシタニア号がドイツ潜水艦の無警告攻撃で沈没、一一二八名のアメリカ人を含む一一九八名が溺死する（ルシタニア号事件）。ドイツ側は、ルシタニア号が多くの弾薬や武器を積んでいたと主張した。『第一次世界大戦百科事典』（第二版＝二〇〇九）によると、実際に、四二〇万発の小銃弾と五〇〇〇発の砲弾・信管が積まれていたという。だが、アメリカの反独世論は一気に高まり、一九一七年四月六日のアメリカ対独宣戦布告の伏線となる。一方ドイツは、最終的に太平洋まで交戦区域を拡大することになる。

もちろん、ドイツの無制限潜水艦作戦は軍部や政治家の独走ではない。軍部や政治家は、ドイツ民衆の支持を得ると考えた。そして実際に、民衆の多くも、この作戦が慢性的な食糧不足の突破口を開くと期待したのである。

以上のような憎悪のスパイラルこそ、ヴェルサイユ条約で定められた非常に高額の賠償金、さらにはこの条約に対するナチスとその支持者のむき出しの憎悪の根源なのである。

3　シュリーフェン作戦の挫折

イギリスの海上封鎖に対するドイツの反応の遅さについては既述の通りである。ここではその原因、つまり軍事作戦の問題について触れておきたい。

繰り返すが、開戦当初、ドイツにとって食糧は重要な問題ではなかった。長期戦が想定されていなかったからである。皇帝は、開戦後第一週目に「諸君は木の葉が散るころには家に帰れるだろう」と言った。ドイツ陸軍には「シュリーフェン作戦」という大原則が存在していたからである。この作戦は、一九〇五年から翌年にかけて参謀総長シュリーフェン*によって練られ、彼の死後、後任者のモルトケ*が改良を重ねた戦争計画である。近い将来、もし戦争になるとすれば、国際関係上、それは二正面戦争にならざるをえない。ロシアとフランスに対する戦争である。広大な国土を持つロシアは動員に時間がかかるので、まずフランスを急襲してたたきのめし、転じてロシアを撃つ、という作戦であった。フランスへの迅速な攻撃に際し、最右翼、つまり北側の軍団は、中立国ベルギーを侵犯し、フランドルを通ってパリの背後に回り込むのである。普仏戦争のリヴェンジに燃えるフランス軍にも「第一七計画」というものが存在したが、これは、基本的に、フランス軍の敵に向かってまっしぐらに突き進む「剣の思想」あるいは「死を賭しての攻撃」という素朴な精神主義、あるいは当時陸軍の流行語であったベルクソンの「生の跳躍《エラン・ヴィタール》」をそのまま作戦に書き換えたようなものであった。すでに漏れ聞いていたシュリーフェン作戦に対する対策も怠っていた。

ドイツ軍は、ベルギーの激しい抵抗にもかかわらず、八月中は快進撃を続け、パリ近郊まで迫る。フランス政府は、パリ市民の失望のなかでボルドーに疎開

アルフレート・グラーフ・フォン・シュリーフェン 一八三三〜一九一三年。ドイツの陸軍軍人。一八九一年に参謀総長、一九一一年に元帥になった。

ヘルムート・ヨハネス・ルートヴィヒ・フォン・モルトケ 一八四八〜一九一六年。ドイツの軍人。伯父のモルトケに対して、小モルトケと呼ばれる。一九〇六年にシュリーフェンのあとを継いで参謀総長に。マルヌの戦いに敗れて辞任した。

し、パリはパリ防衛軍の指揮官ガリエニ*のもと市街戦に向けて準備を整えはじめた。ところが、結局、九月六日から一〇日にかけてのマルヌの戦いでイギリス軍の援助を得た連合国軍が、ドイツ軍を追い返した。この原因には、ロシアが予想以上に早く戦闘に加わったため、二個軍団を東部戦線に回さなくてはならなかったこと、右翼の軍団の進軍のスピードが速すぎて補給が追いつかなかったこと、そして何よりもベルギーが抵抗し、そこで兵力を失ったうえに、その後ろ盾であったイギリスまでも敵に回さなくてはならなくなったことが挙げられる。少なくともベルクソンが「ジャンヌ・ダルクがマルヌの戦いを勝利に導いた」と言うほど、フランスは危機的状況に陥っていたのである。

こうして、社会生活を一時的に中断し、その間に決着をつけるという一九世紀的戦争観は、このマルヌの戦いで完全に破綻し、塹壕戦が西部戦線の中心的戦闘形態となる。塹壕線は、戦線の膠着をもたらし、膨大な物資・人員の動員を要求しつづけた。以降、ドイツは本格的に戦時体制の構築に取り組まなければならなくなるのである。▼

*ジョゼフ・シモン・ガリエニ　一八四九～一九一六年。フランスの軍人。一八九六年から一九〇五年までマダガスカル総督。先住民の反乱を鎮圧して植民統治を確立した。マルヌの戦いのとき、パリ中のタクシーを集めて兵士を戦場に輸送した逸話は有名。

▼八月の大戦の経過に関しては、日本でも邦訳があるバーバラ・W・タックマンの『八月の砲声』で詳細かつ生きいきと描かれているので参照していただきたい。

4　食料輸入大国ドイツ――生命線としての輸送網

つぎに、飢饉の条件をドイツ国内に求めてみよう。ここにも長期戦に耐えられない脆弱性が確かに存在していた。海上封鎖をされても、食料輸入に頼らなくてもいいほどの農業生産基盤がしっかりしてさえいれば、飢饉は起こらない。しかし、現実は違った。

一八三五年末、ニュルンベルク・フュルト間に、鉄道六キロメートルが、イギリス製の機関車「アドラー」とイギリス人運転手によって開通した。一八三六年、第一号国産機関車「サクソニア」がドレスデン近郊で製造される。一八七一年のドイツ統一までに、一万キロにおよぶ鉄道網の骨組みが完成。とくにロシアやルーマニアからの穀物搬入が容易になり、これで「不作による飢饉という古典的危機」(若尾祐司)は解消された。また、大型蒸気船の建造によって、南北アメリカ大陸との経済関係が強化された。まず、パン用穀物と飼料をアメリカ、カナダ、アルゼンチンなどから輸入し、チリからはチリ硝石、ペルーからグアノ(=海鳥の糞の堆積物)を大型蒸気船で輸入したのである。チリ硝石は、窒素肥料、グアノは窒素およびリン酸肥料であり、瘠せた土地の多いドイツの農地の生産性を保つのに必要不可欠な肥料であった。

農業史の先行研究は、開戦直前のドイツはカロリーベースで全食料の五分の一を輸入に頼るようになっていたと記述されている。これは、決して間違った数値ではないが、もう少し詳細な説明を要する。一九一三年の段階で、とくに大量の輸入を必要としていた農作物は、白パン用の小麦、粗飼料(大麦)、濃厚飼料、野菜、鶏卵、肉および肉脂肪、ドイツ人の食卓に欠かせないコーヒー、そしてココアなどである。黒パン用のライ麦、ジャガイモは自給できたとはいえ、主食である小麦の全消費量のうち輸入分は、一九一二年から一三年の平均で二九・五パーセント、飼料用大麦の場合は四五・九五パーセントであった。小麦輸入相手国は、一九一二年から一三年の平均で、一位アメリカ（七二万六一八八トン）、二位ロシア（五三万八九七八トン）、三位アルゼンチン（四九万六四〇三トン）、四位カナダ（三九万三八〇〇トン）、五位ルーマニア（一八万三五〇八トン）であり、この上位五国で全小麦輸入量の九六パーセントを占めた。また、飼料用大麦輸入相手国は、一九一二年から一三年平均で、一位ロシア（二五四万二八一八トン）であり、二位アメリカ（九万八七九五トン）、三位ルーマニア（九万八六七一トン）、四位デンマーク（一万三四〇四トン）、五位アルゼンチン（一万四七三トン）を大きく突き放している。このうちロシアは八月一日に敵国になり、アメリカ、カナダ、アルゼンチンの小麦は海上封鎖で輸入量が激減、頼みの綱であった中立国ルーマニアも、一九一六年八月一七日に連合国側に加わった。

さらに問題なのは、粗飼料よりも栄養価が高く、良質な牛乳やバターを生産するのに必要な濃厚飼料であった。濃厚飼料とは、トウモロコシや燕麦《えんばく》、小麦やライ麦の糠《ぬか》、大豆糟《かす》、油果実および種子など繊維質が少なく栄養価の高い飼料のことである。平時において、ドイツは濃厚飼料を六〇〇万トン輸入していた。「わが国の雌牛はラプラタの草を喰《は》んでいるUnsere Kühe weiden am Rio de la Plata」と言ったのは、ミュンヒェンの左派国民経済学者ルーヨ・ブレンターノであるが、これはトウモロコシなどの乳牛用濃厚飼料のことを言っている。濃厚飼料の輸入から輸出を引いた量は、乳牛用だけで四三七万六七一二トンにのぼった。ほかにも、野菜は二七万二〇〇〇トン、コーヒーは一七万トン、ココアは五万四〇〇〇トン、生乳および乳製品は一三万六二一三トン、リンゴは三一万六〇〇〇トン、鶏卵は一六万九〇〇〇トンの輸入超過であった。

それゆえ、交通はドイツにとってのアキレス腱であった。最大の穀物輸入の相手国であるロシアを敵に回した以上、アメリカ、カナダ、アルゼンチンなどの国との通商ルートは、ドイツの命脈であった。戦争の手段として海上交通を切断したイギリスの意図はここにあった。経済大国であり、科学技術大国であったドイツは、しかし同時に、食料および飼料の輸入大国であった。交通革命による「古典的危機」からの脱却は、新たな「近代的危機」の始まりに過ぎなかったのである。

5　農業生産力の減退とその対策

海上封鎖という「近代的危機」からの脱却の方法は、ドイツ（や日本）の農業の十八番である単位面積当たりの農業生産力の上昇、つまり、集約化しかなかった。しかし実際は、図4および図5にみるように、穀物、ジャガイモとも、単位面積当たりの生産力は落ち、粗放化せざるをえなかった。総生産量も、ジ

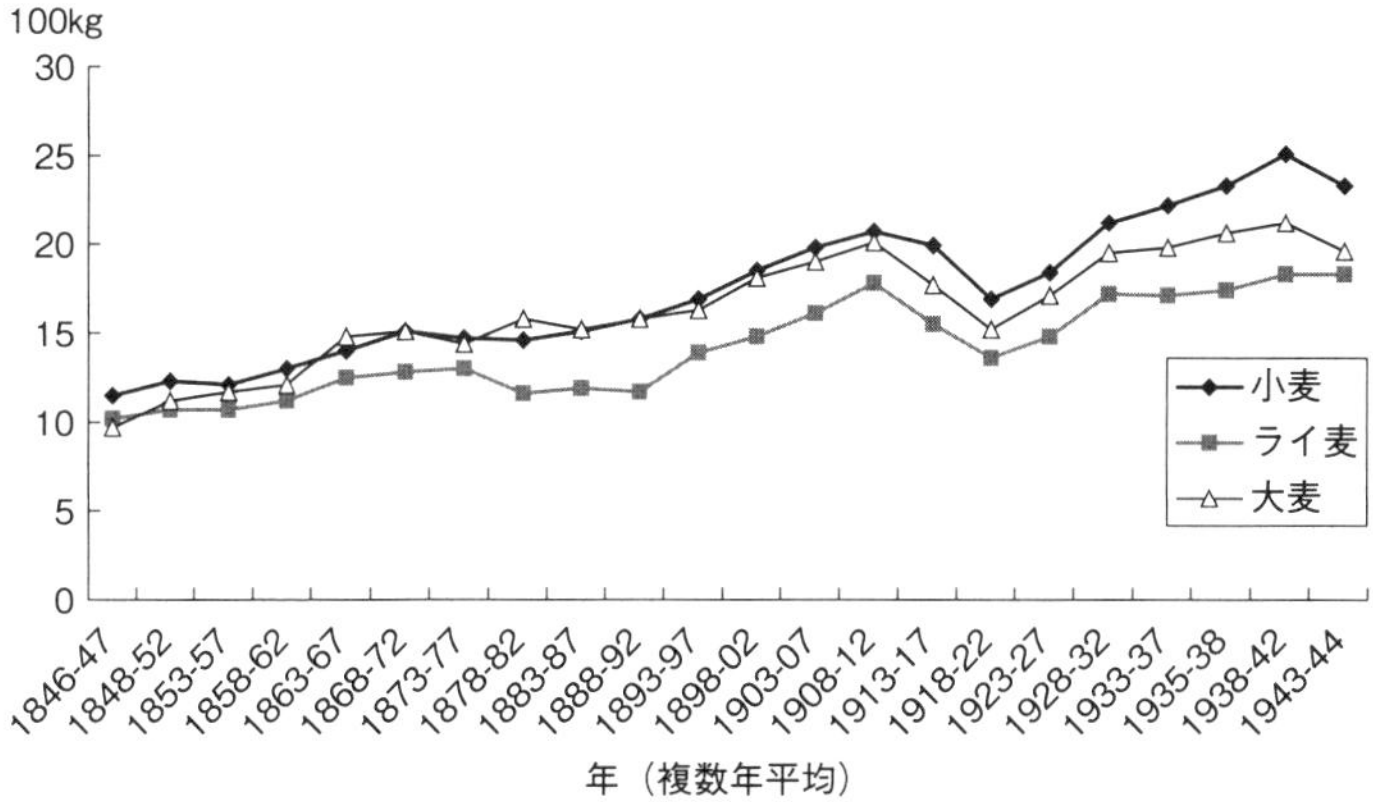

図４　ドイツにおける１ヘクタール当たり収量の変遷（Bittermann, S. 34-35.）

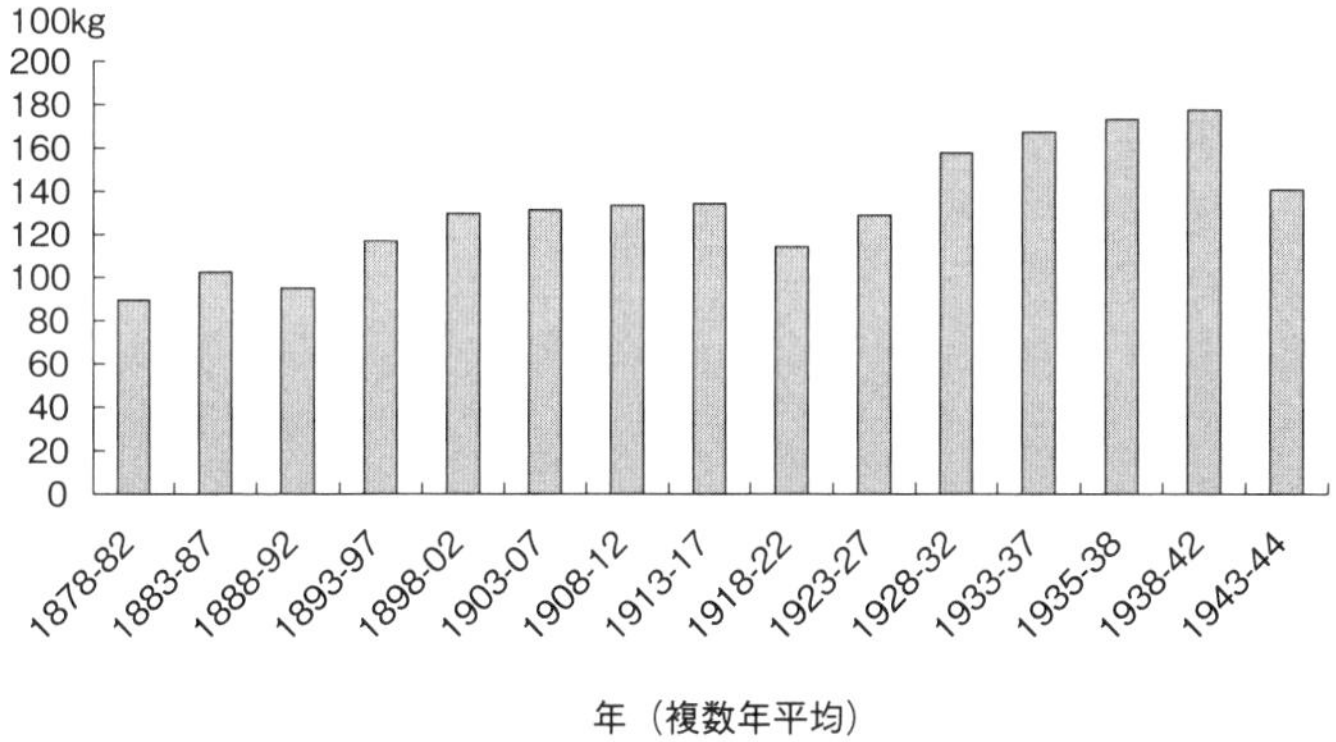

図５　ジャガイモの１ヘクタール当たりの収量の変遷（Bittermann, S. 34-35.）

ヤガイモは、五四一二万トン（一九一三年）から二四七四万トン（一九一八年）へ、穀物も二七一万トンから一七三万トンへと減少した。その理由は、主に、畜力、人力、肥料の不足である。

第一に、畜力。大戦時、一〇〇万頭を超える馬が軍馬として大経営から徴発された。軍隊からの飼料の調達にも応えた。だが、穀物不足が深刻化し、国家の指導により燕麦を家畜の飼料から人間の食料に転用するようになると、今度は馬の飼料が不足する。その代わりに機械の動力を用いることが期待されたが、戦争が進み、機械の材料が兵器生産に回されるにつれてそれも困難になる。熟練工が軍隊に徴兵されると、中小経営は閉鎖を余儀なくされる。機械欠乏のため、脱穀調整が遅れ、仮置きしてある穀物が野ネズミに荒らされる。機械化が英米ほど進んでいないことが、大経営の生産力の減退の一要因であった。

第二に、人力。これも壊滅的であった。そもそも戦争初期から計画的な労働配置政策が存在しなかった。短期決戦を掲げるシュリーフェン計画が大原則としてあったので、兵員の職種を問わず召集を続けた。すぐに終戦を迎えるという希望的観測から、従業員を解雇する企業が増え、八月と九月は失業率が急上昇するほどだった。農村の労働力も軽視された。働くことのできる男性農民のうち約六〇パーセントが動員された。さらに、これまでは季節労働者としてドイツ東部の農業経営が雇っていたロシア領内のポーランド人労働者が、戦争によって来なくなった。農村労働力が減ると、土地は深く耕されなくなり、種子の生育が悪くなる。生育中の管理も行き届かなくなる。収穫や脱穀調整が遅れると品質も落ちる。これが生産量の減少に拍車をかけたのである。戦争の長期化は、ドイツ政府とドイツ軍に労働力不足への対策を迫った。第一の対策は、捕虜の導入である。一九一五年春から、イタリア・フランスの捕虜は工場労働へ、農民出身が多いロシアの捕虜は農業労働に用いられるようになる。しかし、この対策はすぐに限界に突き当たる。まず、捕虜の利用は捕虜を監視できる寝室を持つ東部の大農場でのみ可能であり、家族経営の多い西部ではほとんど用いられなかった。たとえば、工業地帯を多く含むヴェストファーレンの統計では、七〇パーセントの戦時捕虜労働力が軍需工業に用いられていた。たしかに、捕虜の数は、一九一六年には七〇万人、一九一七年には八〇万人、一九一八年には九〇万人へと増加した。しかし、捕虜の生産性は低かった。そのため、食料配給量を増やしたり、葉巻や刻みタバコを与えたりすることで、不満を和らげる試みもなされた。しかしこれも、食糧不足とタバコ産業の凋落により、次第に困難になる。また、捕虜のなかにはドイツ語を話せるロシア人もいて、かれらを農場の事務作業にも従事させたこともあったというが、稀なケースであろう。一九一六年一二月二五日に公布された「祖国のための援助奉仕法」も、マンパワーの配置対策であった。社会民主党の積極的な働きかけもあって、可二三五対否一九の大差で可決。この法律によって、一七歳から六〇歳までの男子は、家柄や階級に関係なく、「祖国」の要請に応じて労働力を提供しなくて

表2　ドイツ農業における化学肥料の消費

（1ヘクタール当たりの栄養素＝Kg）

年	窒素	リン酸	カリ
1878/1880	0.7	1.6	0.8
1898/1900	2.2	10.3	3.1
1913/1914	6.4	18.9	16.7
1918/1919	3.9	7.9	22.8
1929/1930	14.1	18.6	26.6
1938/1939	25.0	26.2	43.7

(Bittermann, S. 112.)

はならなくなった。しかし、結局、軍需工業が優先され、農業労働状況の改善はほとんどみられなかった。

第三に、肥料。土壌養分の三大要素である窒素、リン酸、カリのうち、カリ以外は、不足基調にあった。カリは、アルザスと中部ドイツで確保できたが、そのほかの成分は既述のとおり、輸入に頼っていた。窒素は、ハーバー＝ボッシュの合成アンモニア製造法が開発され、空気中の窒素を人工的に固定する技術によって補われる予定であったが、この技術が火薬生産に転用されたため、表2でみるように、戦争末期には窒素施肥量も減っていく。表2には、もうひとつ興味深い不思議な動きがみられる。ドイツで自給できる唯一の三大栄養素のカリの消費量が上昇していることである。実はこれは、他の栄養素によって別の栄養素の代わりをさせるという非科学的方法を、農民たちが用いたからである。これほどまでに状況は切羽詰まっていたのだ。

以上のような人力、畜力、肥料の不足ゆえに、一九一八年時で、一ヘクタール当たりの収穫量は、穀物は平時よりも二五パーセントも減少した。また、粗飼料および濃厚飼料の不足のため、一頭あたりの生乳生産量も平時の三分の二にまで減少し、一頭あたり屠殺重量も二五〇キログラムから一三〇キログラムへ半減した。

海上封鎖、短期決戦計画の挫折、食料の外国依存、生産力の減退。こうした原因の複合が、近現代史上稀にみる先進工業国の飢饉を生み出したのである。次章では、民衆の目からみた、この時代の日常生活を追体験してみたい。

第2章　食糧危機のなかの民衆と政府

ベルリンの中間層食堂の前に並ぶ人々（BL：219）

1　熱狂と陶酔の影で

一九一四年八月一日、ドイツはロシアに宣戦布告し、午後、総動員令が公布される。人々は広場に出かけ、開戦を祝福し、喜びを共有したり、愛国心を高めあったりする。ベルリンや他の大都市では、志願兵になる学生たちが国家や愛国的な歌をうたいながら街を行進している。レストランやビアホールも高揚した市民たちで大賑わいである。皇帝ヴィルヘルム二世は、イギリスと断交し、ベルギーへの侵攻を開始した八月四日、聴衆を前にこう宣言する。「きょうこの日より、余はいかなる政党も認めない。ただドイツ国民あるのみ。▼」こうした民衆の政治的熱狂は同時代人たちによって「八月の体験《アウグストエアレープニス》」と呼ばれた。三宅立は、「第一次世界大戦とドイツ社会」という論文（一九九五）で、八月を支配したこの「戦争熱」についてこう説明している。「大学生をはじめとする市民階級出身の青年たちや教養市民層の間では、大戦前の経済の行き詰まりや社会的な対立の深まりをはじめとする社会全体の閉塞状況、そしてあまりにも物質主義的となったヴィルヘルム期のドイツ社会の解放からも、戦争熱が高まった。」

　たしかに、「八月の体験」には、どこか反資本主義的な、あるいは反文明的なユートピアへの希求が投影されていた。一九一四年一〇月には、九三名のドイ

▼この言葉を皇帝のために用意したのは、プロテスタントの神学者アードルフ・フォン・ハルナックだと言われている。興味深いのは、彼がバルト海沿岸のドルパート（現在のエストニア共和国タルトゥ）、つまりプロイセンの周縁部出身であったことだ。父親はペテルブルクの出身である。彼の「逆立ちしたナショナリズム」に関しては、深井智朗『十九世紀のドイツ・プロテスタンティズム――ヴィルヘルム帝政期における神学の社会的機能についての研究』（教文館、二〇〇九年）を参照。

ツの学者・文化人が、「文化世界に告ぐ！」という声明を発表する。とりわけ中立国に向けての声明である。ドイツ民族は決して野蛮ではなく、カント、ゲーテ、ベートーヴェンの遺産を神聖なものとみなす「文化民族《クルトゥーアフォルク》」なのだ、と。一九一五年に出版された本ではあるが、『商人と英雄——愛国的意識』のなかでヴェルナー・ゾンバルトは、アングロ・サクソンの「小商人根性」とドイツの「英雄的精神」を比較し、後者を称揚した。ここにも、明らかに「八月の体験」が息づいていた。

しかしながら、近年の研究によって「八月の体験」が一つの神話であったことが明らかになってきた。熱狂の度合いは地域や人によってさまざまだったし、地域によっては淡々と戦争を受けとめる民衆たちの姿もあった。八月中にはすでに、街で物価の騰貴や失業の広がりが顕著になってくる。農村では、収穫を前にして夫や兄弟などの労働力が奪われ、女性や子どもあるいは老人が重労働に従事することに対して不安が広まる。馬も軍隊用に徴発される。こうした都市労働者や農民にとって、戦争は「文化民族」の使命などではほとんどなく、日々の仕事と生活に重くのしかかる避けがたい現実にすぎなかった。

ドイツ全土に戦時戒厳令が布告され、行政の執行権が軍管区*副司令官の手に移ったことも、決して人々から不安を消し去らなかった。政治や社会の仕組みを熟知していない軍人の行政介入は、しばしば混乱をもたらし、民衆の不安をむしろ高めたからである。熱狂と陶酔の影で、破局への道は着々と準備されて

軍管区
軍管区とは、軍の行政・編成上の単位。平時の管区内は、徴兵、訓練、編成などが行なわれた。戦時には軍管区司令官が管区の軍をひきいて出征、留守を預かる管区副司令官は兵員の補充、徴兵・訓練などを行ないつつ、管区内の治安維持全般に責任を負い、文民行政機関への命令権をもった。軍管区副司令官は、皇帝に直属しており、権限の行使はかなりの程度、自己の裁量によって加減できた。ある程度分権的だったが、後期に入って、中央で調整するようになる。全国には二四の陸軍軍管区があった。

いたのである。

この章の目的は、戦時下の都市の住民たちの食生活とそれへの政府の介入の実態を明らかにすることである。

2 戦時下の食生活――Kパン・民衆食堂・密商

(1) 精神主義で乗り切る――断食療法

民衆の日常生活への影響は、比較的早く訪れた。従来、大戦期の日常生活といえば、一九一六年から一七年にかけての飢饉、いわゆる「カブラの冬」が注目されてきたが、一九一四年の冬にはすでに貧しい主婦たちを中心とする食糧暴動がみられた。ただし、初期は、食糧不足よりも、特別会計を戦時公債のみでまかなったことによるインフレと食料価格の高騰が家計を直撃したことが消費者の不安を高めたのである。

まだ戦争熱の余韻が残る一九一四年一〇月にはすでに、ベルリンで、パンにジャガイモ粉が混入されたり、牛乳に水が加えられたりするようになった。一九一四年末になってようやく対策が協議され、穀物の統制が決定されたのは年が明けてからであった。こういった行政の対応の遅れや配給機構の不備が、消費者の不満をさらに高めていく。

このような状況にもかかわらず、いや、それゆえに、食事の節制が健康によいと主張する記事さえも新聞に掲載された。一九一五年一月一七日付の新聞『ベルリナー・ロカール・アンツァイガー』に載った、ベルリンの医師であり文筆家でもあったカール・ルートヴィヒ・シュライヒの「食事の節制」である。当時の雰囲気を伝える史料なので、引用してみよう。

断食療法に関する報告によれば、最小限の食べもの、たとえば一日あたりコップ一杯のミルクを飲めば、数ヵ月にわたり労働能率が低下しないばかりでなく、肥満した太鼓腹の怠惰な人間は、すくなからぬ場合、むしろ作業能率が向上するのである。……外国からの食料輸入が断たれるおそれのあるいま、普段は心配しなくてもすむようなつぎのことを遠慮なく気づかせてやるがよい。文化人のほとんどが例外なく食道楽、多食症、大食漢であることを。……しかし、戦時においてこの悪習は、社会不安になりかねない。社会的顧慮からしていつも言うのが憚られるのだが、一般的に、富裕層のみならず労働者および貧民も、厳密に科学的観点からすると必要以上に栄養を摂取している。というのも、人間は一日一人当たり、数本のニンジン、数個のクルミ、一個のリンゴ、そして一リットルの水があれば体重を増やせることは確かな事実だからだ。……いやそれどころか、断食日を挟むことは、太鼓腹にとってのみならず、すべての人間にとって非常に良い効果をもたらすのである（BL: 83-84）。

たしかに、一九一五年一月に書かれた記事だけあって、まだ余裕が感じられよう。飢えで苦しむ人々に向かって「断食療法をせよ」などとは、どんな極悪医師でも言えないからだ。ただ、ここで重要なのは、すでに一九一五年一月の段階で現れたこの精神主義が、大戦期ドイツの日常生活の隅々までずっと支配していくことになる、ということである。戦時中のスローガンに「耐え抜けDurchhalten」というものがあったが、この単純明快な精神主義は、各人の体力、精神力の無限を仮定して、そこからできるかぎりの可能性を引き出し、物資の不足と社会の矛盾の膨張を各々の個人の能力の問題として分散させるシステムと表裏一体である。つまり、政府と軍の対応の遅れを覆いかくすものなのである。

そして、社会的階層の問題が取り上げられていることも重要だ。戦争中の食糧不足が社会の平等をもたらすことを主張する戦時社会主義の思想が色濃く反映されている。しかしながら、「富裕層」よりはむしろ「労働者」や「貧民」に我慢を強いているところからも推測できるように、「戦時社会主義」という言葉が実体を伴っていないことは、少なくともこの医師においては動かしがたい事実である。

(2) みんなで食べる——民衆食堂

戦時中、食料とともに燃料も不足する。家庭の台所で食事をすると、食費と燃料費、冬なら暖房費もかかる。過酷な労働条件で働く主婦は夕食を作る時間さえない。ならば街にでる。子どもも連れて行く。ただ、レストランは高い。そこで、同じ種類の料理を大量に作ってそれを安い値段で配分する民衆食堂《フォルクスキュッヒェ》へ行く。一流のシェフはいないが、調理コストを極限まで抑えてあるので、一食あたりの値段は安くなる。

　こうした民衆食堂は、大戦中の多くの人々、とくに都市下層の人々の腹を満たした。とはいっても、これは大戦中に生まれたものではない。アンネ・レーアコールの『飢餓封鎖と銃後——第一次世界大戦期ヴェストファーレンにおける地方自治体の食料供給』（一九九一）によれば、一七九七年にミュンヒェンで登場したのが始まりである。農村人口が増大し、農村から都市へ人々が徐々に流出する。農業生産技術も交通網も発達していないから、生産量は旱魃や冷夏などの気象条件に左右されやすい。すると、都市に貧民が増える。その貧民を救済する慈善団体の事業の一環として民衆食堂が登場したのである。一九世紀後半になると、急速な工業化および都市化に伴い、大都市で続々と民衆食堂が生まれる。ベルリンに登場したのは一八六六年、ブレーメンは一八八〇年だ。一九世紀後半に活躍したドイツの社会主義者アウグスト・ベーベル*は、こうした「共産主義的食堂《コムニスティッシエ・キュッヒエ》」が「時代遅れの私的台所」を排除するものと考えていたがゆえに、民衆食堂に期待を寄せた。このベーベルの台所思想が、戦時中の社会民主党員が民衆食堂を政策として推進することへの根拠の一つとなった。大

アウグスト・ベーベル　一八四〇〜一九一三年。ドイツ社会主義労働党（のちの社会民主党）の創始者。

戦中の民衆食堂は、大戦中の固有の現象というよりは、むしろ平時の貧困問題の延長として位置づけられるべきものなのである。

このような伝統のある民衆食堂は、一九一四年から徐々に増えはじめた。ただし、「あれに行くぐらいなら家で飢え死にしたほうがマシだ」という自尊心の強い人も少なくなく、そういう人々に配慮した「中間層食堂《ミッテルシュタントキュッヒェ》」なるものも用意された（本章扉）。こういった中間層用の食堂や貧民向けの民衆食堂は、地方自治体の福祉政策の一環として、あるいは国家組織である戦時食糧庁《クリークスエアネールンクスアムト》（後述）の主導で運営された。このほかに重要なのは、工場が労働者向けに開設した工場食堂である。先行研究が指摘しているように、ここでは、ヤミ価格で入手した食料が材料として用いられたので、軍需工場の労働者は比較的恵まれた条件で仕事ができた。また、戦況が厳しくなると、労働者の食事は、地方自治体主導の民衆食堂から工場食堂へと移行していく。軍需工場の労働者は、人手不足のため、男性から女性へ、熟練労働者から非熟練労働者へと移っていったから、工場の食堂は、民衆食堂の重要の役割のひとつ、つまり底辺労働者の救済の役割も果たすようになっていくのである。

一九一七年にベルリンで発行された『集団給食』というパンフレットには、一九一六年一〇月一〇日に戦時食糧庁が行なった人口一万人以上の三五七の自治体に対するアンケート調査の結果が掲載されている。これによると、当時、民衆食堂が七三五、中間層食堂が七二、工場食堂が一一五あった。また、従軍者専門食堂が八七、貧民専門食堂が二六八、子どもおよび病人専門食堂が一七〇あったという。このうち、五八九は都市の運営、六五〇は自治体と諸協会の共同運営でなされていた。これらすべての食堂の一日の定員を足し合わせると、一九一万五二六五人であったが、一九一六年一〇月の利用者数はその五〇パーセント弱であった。

工場食堂の食事の内容は民衆食堂よりはマシとはいえ、満足できるような状況ではなかった。『ユーゲント・インターナツィオナーレ』（一九一六）の第六号には、シュパンダウの軍需工場で「毎日一二時間立ったまま」榴弾を作っていた女性労働者の回想が掲載されている。

一九一六年初頭になって、この兵器工場は、労働者に自前で食事を給するようになりました。それはひどい食べものでした！　鉄条網《ドラートフェアハウ》（[軍隊における]乾燥野菜[の隠語]）、ルタバガ、ジャガイモ、燕麦。一週間たつと、また初めから繰り返し。しばしば凍害を受け、半分腐りかけたジャガイモが車で運ばれ、泥のなかにあけられました。消火ポンプで水がかけられると、ジャガイモは「きれい」になりました。ときどき、肉の特配がありました。馬の骨が車で運ばれ、血のしたたった腱や肉片が地面に放り投げられ、そのまま置かれたので、ハエが一面にたかりました。ひどい悪臭が漂いました。どうってことありません、私たちにはそれで十分だったのです（BL: 162）。

このような工場食堂に民衆食堂や中間層食堂、さらには街頭の炊き出し（野戦炊事車《グーラッシュカノーネン》）*も含めた戦時の集団給食所が増えたのは、一九一七年二月からである。レーアコールの前掲書によれば給食所の利用者数のピークは、パンの配給がルタバガに置き換えられる一九一七年四月から五月であった。五〇万人以上の大規模都市では、同年一月に六・六人であったのが、四月には一三・五人に、二五万人から二〇万人の中規模都市では五・一人（一月）から九・三人（五月）へ、一〇万人から二五万人の小規模都市では、四・四人（一月）から八・九人（五月）へと急増した。ドイツ全体の平均は、図6のとおりである。『ベルリナー・フォルクスツァイトゥング』（一九一七年五月一四日付）には、最も流行っていた時期の民衆食堂の様子が報告されている。「ベットガー通りの民衆食事販売所でやっとありついた粥が腐っているという苦情。受け取った人は、酸っぱい香りのするこの食べ物を捨て、付け合わせのソーセージと薄切りパンだけを食べる。市役所には、良質の食料がない」（BL: 295）。

　このように、民衆食堂もコスト削減は免れず、料理の質は著しく低下していく。一九一七年八月以降に利用者数は、七月の四分の三にまで減少する。貧困層は民衆食堂の低価格低栄養の食事に頼る一方で、富裕層はヤミで高価格高栄養の食料を購入したのである。

野戦炊事車
Gulaschkanonen. とくにベルリンで見られた炊き出しの形態。機関車のミニチュアのようなかまどを持ってきて、グーラッシュ（肉入りスープ）を配る。もともとは戦場の野外調理場を表す戯語（直訳すればグーラッシュ大砲）で、やがて都市でも用いられるようになった。

（3）ヤミで買う——密商の出現

流通ルートが切断されると、食料の絶対量が不足する。はじめは備蓄があっても値段が高騰する。価格の上昇を見据えて、生産者や商人が出し惜しみするからである。しかし、これでは低所得者は食料が買えない。そこで、政府は最高価格を設定し、配給制に移行する（後述）。だが、最高価格が安すぎて生産者は消費者が必要とする食料を作らなくなる。さらに、戦争が長期化するにつれて配給制の量が減る。減ると、今度は、非公式で売買がなされる。戦争に勝てないし、食料を回してくれない政府への信頼が失われると、配給制への不安が高まり、ますますヤミ取引が増える。こうして、非公式かつ非合法の食料売買が街を跋扈《ばっこ》するのである。

大戦中は、闇市 Schwarzmarkt という言葉はまだそれほど用いられていなかった。当時使われていたのは、密商 Schleichhandel、つまり、こっそり忍び歩きでモノを売買する、という意味の言葉である。ドイツで闇市という言葉が頻繁に用いられるのは、ナチ時代になってからである。ドイツ語の語感として、闇市よりも密商のほうが身体的な響きを残しているのは、第一次世界大戦時の闇売買がまだ手探り状態で、それゆえ

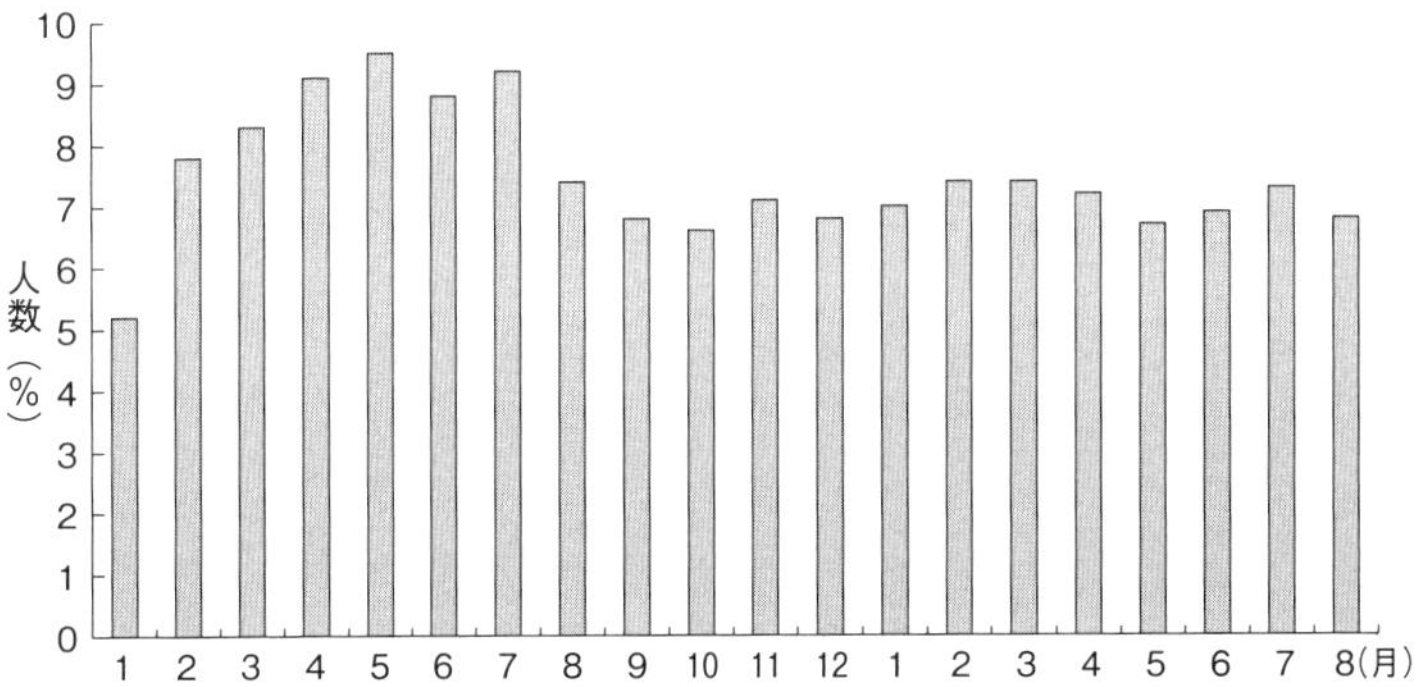

図６　大戦期ドイツにおける一日当たり集団食堂利用者数の人口比率の変遷（1917-1918）（Roerkohl, *Hungerblockade und Heimatfront*, S. 351. より筆者作成）

に可視化されやすいものだったからかもしれない。いずれにせよ、物陰で食べものを売ったり買ったりする現象は、大戦期ドイツの都市のありふれた光景であった。

では、密商のヤミ価格はいくらだったのか。一例として、ボンにおける一九一四年の小売価格、一九一七年から一八年の冬の小売価格、同じ冬のヤミ価格を比較してみよう（表3）。この表からも分かるように、小売価格の一〇倍から三〇倍の値段で取引されていたことが分かる。菜種油、ラード、バターなど脂肪分は、パンやジャガイモだけでは摂取できないため、日常の食生活に必要不可欠なものであるが、この価格に手の届かない低所得者層の食生活の貧しさがこの表からも類推できるだろう。このデータには、パンとジャガイモのデータは残っていないが、ハンス＝ウルリッヒ・ヴェーラーによると、一九一八年までに、穀物およびジャガイモ生産高の七分の一、バター、牛乳およびチーズ生産高の三分の一、肉類、卵および果物の半分が闇市に吸い上げられた、

表3　大戦期ボンにおける食料の小売価格とヤミ価格の比較

食料品目	①1914 小売	②1917/18 小売	③1917/18 ヤミ	(③／①)×100 (%)
牛肉（成牛）	1.00	2.80	4.75	475
豚肉	0.80	—	6.00	750
ラード	0.80	5.00	18.00	2250
燻製ベーコン	0.70	2.75	15.50	2214
バター	1.30	3.40	14.00	1077
オランダチーズ	0.90	1.75	12.00	1333
菜種油（1リットル当）	0.60	5.00	21.50	3583
ライ麦粉	0.15	1.85	4.00	2667
小麦粉	0.20	—	4.00	2000
エンドウ豆	0.30	—	4.70	1567
リンゴ（1個当）	0.15	0.70	4.50	3000
コーヒー	1.20	3.80	23.50	1958
ヘーゼルナッツ	0.50	4.10	5.70	814

註：価格は断りのない限り1ポンド当たりの価格。
（Roerkohl, S. 354-357. より筆者作成）

という。

重要なことは、この密商が、貧しい階層が平時に感じていた所得差をさらに強烈に意識させたことだ。食事、つまり人間が生命を維持する最低限の行為さえ奪う貧富の構造の可視化が、ドイツ革命への前奏曲となっていく。

(4) 代用する、集める――Kパンからサクランボの種まで

戦時下、物資不足になると、化学者たちはさまざまな分野で代用品《エアザッツ》を発明する。代用グリセリン、代用サラダオイル、代用石けん、代用ワニス、人造ラード、代用バター、人造胡椒など、日常のありとあらゆるものが代用品に置き換えられていく。代用代替素材ばかりではない。主婦の調理魂を刺激するような代替レシピも生まれる。あるいはベルリンの目抜き通りでさえ、目をこらすと代用品で溢れている。シュテファン・グロースマンというオーストリア人ジャーナリストの自伝（一九三二）をみてみよう。「ベルリンのショーウィンドウは、遠くからみると、その華やかさをほとんど失っていないように見えた。しかし、近寄ってみると、フランス・コニャックの瓶には黄色い水が、板チョコはチョコレート色の板、エメンタール・チーズ［スイス西部のエメンタール地方産のチーズ。円形大形の硬質ナチュラルチーズ。チーズフォンデュに用いる］は黄色い厚紙」であった（BL: 280）。

『第一次世界大戦百科事典』によれば、戦時中、ドイツではおよそ一万一〇

○○種類の代用品が誕生した。ここではその代表的なものを挙げてみよう。

①Kパン

一九一四年一〇月二八日、政府当局は「戦時パン」の規格を定め、その普及を推進しようと試みた。パンへの非穀物混入率が高くなり、品質の低下がみられるようになったからだ。戦時パン Kriegsbrot は、省略されてKパン K-Brot とも呼ばれた。このKパンの原料の一〇パーセントはジャガイモであったが、一九一五年にはジャガイモ混入率二〇パーセント以上のKKパンも開発される。このKとは、戦争 Krieg のKであるとともに、ジャガイモ Kartoffel のKも意味した。一九一四年一二月二日付けの『フォッシッシェ・ツァイトゥング』*には、「ジャガイモパンの栄養価」という記事が掲載された。これによると、帝国保健庁は、Kパンはライ麦パンの栄養価とそう変わらず、小麦粉と乾燥したジャガイモ粉を混ぜることで有害な化学反応を起こすことはない、すでに広く食べられている伝統食なので、安全な食べものである、と政府に報告したという。このKパンは、ドイツのジャガイモ生産の過剰を前提に発案されたが、一九一五年夏の一時期をのぞいて、ジャガイモはつねに品薄であった。よって、KパンもKKパンも戦時の全期間にわたって供給されることはなかった。

それゆえ、ドイツの大戦を一つのアルファベットで表すとしたら、それはKが最もふさわしいだろう。たとえば、国民女性奉仕団*の「戦時台所の七つのKの戒め」には、つぎのようなことが書かれてあった。

『フォッシッシェ・ツァイトゥング』
Vossische Zeitung. ベルリンで発刊された日刊紙。リベラルな市民層の意見を代表していた。起原は一六世紀にまでさかのぼるといわれる。ヒトラー政権下の一九三四年三月に廃刊。「フォス」は、一七五一年に出版を引き受けた書籍商クリスティアン・フリードリヒ・フォスに由来する。

国民女性奉仕団
Der Nationale Frauendienst. ドイツ女性連盟の会長によって一九一四年七月三一日に結成された女性組織。戦時下に負担が強いられる女性を保護することが目的。

Kパンを食べよ Esst Kriegsbrot
ジャガイモは皮を付けたまま調理せよ Kocht die Kartoffeln in der Schale
ケーキを買うな Kauft Keinen Kuchen
賢く、油脂を節約せよ Seid Klug spart Fett
蒸し器を用いて調理せよ Kocht mit KochKiste
戦時料理本をもって調理せよ Kocht mit KriegsKochbuch
戦争の勝利に助力せよ Helft den Krieg gewinnen

こうしたKの大戦を象徴するのがKパンであった。ロイド・ジョージ*は、ドイツ人がパンにジャガイモを混入してまで戦うことを「ジャガイモパン精神」と形容し、恐れたという。ただしこのKパン、味はそれほど良いものではなかったようだ。一九一五年五月二七日付の『マスケッテ——フモリスティッシェ・ヴォッヒェンシュリフト』には、「ヘンゼルとグレーテル（一九一五年版）」というカリカチュアが登場する（図7）。ここには、こう書いてある。

カット1　……そして二人はさらに森の奥まで入っていきました。ヘンゼルはKパンを一かたまりポケットから取りだして、パンくずをちょっとずつこっそりと落として歩いていたのです……

カット2　……すると森の小鳥たちがやってきて

*デイヴィッド・ロイド・ジョージ　一八六三〜一九四五年。自由党の政治家。大戦中は、軍需大臣、陸軍大臣を歴任し、一九一六年一二月に首相に就任、二二年まで保守党主導の連立政権を率いた。

図7　カリカチュア「ヘンゼルとグレーテル」

カット3　けれども、小鳥たちはこのパンくずを突っつくと、すぐに吐きだしてそそくさと逃げていきました

カット4　……そこでヘンゼルはグレーテルに言いました。「見て、もしこれがKパンじゃなければ、小鳥たちが食べているところだったよ。そうだったら、僕たちは二度とおうちに戻る道を見つけられなかったかもしれないね！」

②麦ワラ粉

一九一五年三月五日付『フォアヴェルツ』*は、麦ワラから食用粉を作る技術についての記事を掲載した。ハンス・フリーデンタールという科学者がワラを砕いて粉にする新工法を発見した、と。彼は、毒性のない植物体であれば、セルロースも粉にして食べることができる、と主張する。植物の木質化している部分を粉状にして人間や動物の食料にする、というのだ。一九一五年二月二五日、ドイツ農業協会総会において、燕麦ワラを用いた粉五〇パーセントとライ麦粉およびジャガイモ粉五〇パーセントでできたビスケットが展示されていた（BL: 211）という。ただ、実際どこまで食用に堪えうるものであったかは不明である。

③デデ肉

また、一九一五年五月二二日付の『フォアヴェルツ』で、「デデ肉 De De Fleisch」という食べものを試した記者のレポートが掲載された。この記者によると、デデ肉の価格は哺乳類の肉の半額、切った後一週間は新鮮なまま食べられるという。では、どのようにして作られた代用肉なのか。実は、干し鱈の身と豚肉に、スパイスと脂を加えたものであった。この肉に対する記者の評価は高い。「魚肉よりは味が上である。こういうふうに調理すれば、従来正しく世間に紹介されていなかった干し鱈が、もっと普及するのではないかと思われる。」「この肉を焼くと、フライパンから少しばかり香ばしい匂いがただよって

*『フォアヴェルツ』Vorwärts. 一八九一年から一九三三年までベルリンで発刊されたドイツ社会民主党の機関誌。

くるが、これだけでもう少なからぬ主婦たちは満ち足りた気分になるかもしれない」(BL: 212)。

④代用品としての収集物

大戦期、油脂のヤミ価格が開戦時の二〇倍から三〇倍に跳ね上がったことはすでに述べた。政府は、その対策として、学校の生徒に、サクランボの種を収集させるキャンペーンを行なった(図8)。種のなかにある脂肪分を集め、脂肪不足を克服しようというものである。こればかりでなく、学童たちに、畑の害虫を捕らせたり、ブナの実をとらせたり、豚のエサにコガネムシを集めさせたり、食用にキノコや野イチゴを競って探させた、という。また主婦にも台所の生ゴミである卵の殻を家禽の飼料として、ジャガイモの皮を乳牛の飼料として集めさせた。フライブルクでは、一九一七年の秋に約六トンのクリを集めたという記録がある。食べ物のみならず、布、皮、鉄、鞄、靴、毛布、古着なども集められた。こうした収集熱は、日本ではアジア・太平洋戦争期でもみられたが、ドイツでは第一次世界大戦期に最も高まったのである。リベラリストの農業経済学者フリードリヒ・エーレボーは、子どもたちにジャガイモの掘り起こしや豚の世話ではなく、サクランボの種や木の実を収集させたのは「戦時精神病《クリークスプシヒョーゼ》」である、と、一九二七年に振り返っている。これがどれほど経済法則から離れているかを、農業経済学者らしくエーレボーは糾弾する。たしかにその通りだろう。だが、戦時中は、「戦時精神病」こそ、日常の心性であっ

図8　集められたサクランボの種（BL：309）

た。また、少ない在庫を長持ちさせるために台所や学校を通じて行なわれたキャンペーンは、しかし、人間の節約心・競争心をくすぐる意識的な心理操作であり、これは平時においても比較的よくみられるだろう。以上のような大戦期の経験をふまえ、この心理操作を有効に用いたのがナチスなのだが、それは第5章であらためて触れたい。

⑤代用人間

大戦期ドイツを象徴する「代用」という言葉は、物だけに使用されたのではなかった。実は、政府は、軍需工場の労働者に男性の「代用」として「女性」を導入する、という意味を込めて、「代用女性労働者《エアザッツアルバイタリン》」と呼んだ。あるいは、「代用人間《エアザッツメンシュ》」という言葉まで登場する。熟練労働者が動員され、マンパワーの配置政策も遅れをとるなか、どうしても非熟練労働者の価値が高まる。そこで生ずる雇用者側のあせりをうまく表現した言葉かもしれない。

以上、Kパン、麦ワラ粉、デデ肉、代用人間とさまざまな戦時代用品を見てきた。ほかにも、炒った大麦のコーヒーや（どうやって作るか不明だが）ルタバガから作った「戦争コーヒー」が登場したり、都市部でもヤギの乳の消費が増えたり、と、数え上げればキリがないが、これだけでも大戦期の日常生活の一端が垣間見えるだろう。ベルリンの女性労働者の生活と抵抗を研究したベリンダ・W・デイヴィスは、「代用人間」という言葉は「本当の生活が始まるのを待機する個人の貧しい状況と、代用食を食べたときの感じ方を呼び起こす」ものである、と述べている。この指摘は示唆的である。民衆心理の変遷において造語や隠語が果たした役割は無視できない。代用品の流行においても、この機能は遺憾なく発揮されている。どうみても、本当の物や人とは異なるものしか存在しないという状況は、代用によって補われ、それに名前がつけられることで、いつしか慣れていく。だが、一方で、いまこの苦しい状況は「仮の生活」であり、いつか「本当の生活」がやってくる、という説明で、いまの自分を納得させることもできる。矛盾を隠蔽するこの機能は、しかし、一方で、Kパンやデデ肉を食べるこの自分は白パンや豚肉を食べる本来の自分ではない、という意識を、やがて新しい未来が苦しい現在にとって代わるという意識へと拡張させる。革命の精神的基盤は、正義感や義務感よりもむしろ、このような民衆の「戦時精神病」的状況から育っていったのではないだろうか。

（5）自分で耕す——クラインガルテン

食料は少なく値段も高い。メニューが単調な食堂では、自分の好きなものも食べられないし、何が混入しているか分からない。ルタバガはうんざりだ。代用食品は美味しくなく栄養価も高くない。野菜は乾燥野菜が主流で、新鮮な野菜は食べられない。ならば、自分で育てよう——。このような論理によって、クラインガルテン、つまり都市近郊小菜園が戦時中に爆発的に流行する。ここには、野菜、果樹、花、樹木などを育てる畑以外に、小屋が設置され、そこで週末を過ごす都市民の娯楽として一九世紀から存在していた。

一九一五年初頭には、「営農家としての都市民」という言葉が登場する。都市で素人農業をする住民が急増したのである。ベルリンの労働者たちは、線路脇でジャガイモを育てたり、貸家の狭いバルコニーでヤギを飼おうと試みたりしたが、ほとんどうまくいかなかった。レーアコールによると、こうした都市民たちの行為は「下宿豚 Pensionschweine」とか「窓敷居プランテーション Fensterbrettplantage」などと嘲笑されることもあった、という。

しかし、しばらくすると、こうした都市農業が実は食糧危機の救い手であることが認識されるようになる。一九二七年の著書でエーレボーが戦時中の政策のなかで最も評価しているのは、価格統制でも配給制でも戦時食糧庁の創設でもなく、このクラインガルテンであった。一九一六年二月には、「クラインガルテン蔬菜《そさい》栽培中央局」が設立され、国家や自治体も積極的に介入するようになる。クラインガルテンが普及する過程においては、一八三〇年から四〇年にかけて、ライプツィヒの医者モーリッツ・シュレーバーが唱えた計画、戦前に存在したシュレーバー・ガルテン組合の経験が大いに役だった、という▼。

各自治体は、国家の支援のもと啓蒙活動を積極的に行なった。住民の食糧確保と健康増進のためクラインガルテンの重要性を宣伝したのである。また、各自治体の役所内に多数の相談所の設置を促進し、そこで、栽培マニュアルや種子の配布を行なった。

▼なお、クラインガルテン（シュレーバーガルテン）の歴史については、穂鷹知美『都市と緑──近代ドイツの緑化文化』（山川出版社、二〇〇四年）の、とくに第四章「クラインガルテン施設の展開」、第五章「日常生活のなかの緑」ならびに、大戦からの展開をまとめた終章「近代ドイツにおける緑との関わり」を参考のこと。

そのパンフレットの一例として、レーアコールの著書に掲載されているヴェストファーレン州の小都市ヘアフォルトで撒かれたビラをみてみよう。署名は、一九一五年一月に、王室菜園監督者ハーゲマンによってなされている。オモテ面には、「飢餓戦争を戦うために！」というタイトル。その下には、「我々の敵は飢餓戦争をしようとしている。奴らは我々を兵糧攻めにしようとしている！」という見出しが踊っている。敵国は武力で勝てないから卑怯にも飢餓によって我々と戦争しようとしている。前線で男たちが最善を尽くして戦っている以上、都市に残されている我々も戦わなくてはいけない、ということが、闘争心を煽るような厳しい口調で書かれてある。では、どうすればいいのか？このパンフレットを翻してみよう。答えは「野菜を育てることで！」である。四段抜きの強調だ。ハーゲマンは、おすすめの野菜として、インゲン豆やエンドウ豆などの豆類、キャベツ、ホウレン草、ニラネギ、ニンジンなど比較的育てやすく短期間で収穫でき栄養価の高いものを挙げ、種を撒く時期や肥料の配分や種類なども丁寧に説明している。

戦時中の特徴は、いままで忌避されてきた人糞尿の利用が頻繁になされたことである。もちろん、カリ以外の化学肥料が不足しているからである。また、行政は、土地の賃料を不当に高めることを禁止し、円滑な供給を行なうよう尽力した。

なお、ベルリンのクラインガルテンの数は、一九一四年には四万四〇〇〇

（面積＝一五四〇ヘクタール）だったのが、一九二四年には一六万八〇〇〇（同六二三九ヘクタール）と、四倍近くにまで増加した。チッカリングの研究によると、フライブルクでは、一九一六年には二六二二あったのが、翌年には五七五〇と倍以上の伸びを見せている。ほとんどのクラインガルテンでは、三分の一がジャガイモに、残りの三分の二が野菜栽培に使用された。剰余の野菜は市が買い取り、市の野菜乾燥場で乾燥され、民衆には不人気だった乾燥野菜となる。エーレボーによれば、この実績は、一九一六年から一七年は一九六九トンだったのが、一九一七年から一八年までは三四六〇トン、一九一八年から一九年には三四一〇トンと若干減少したものの、基本的には初年度の水準を維持した。なお、乾燥野菜の購入・販売を一括して行なう「乾燥野菜戦時有限会社」が設立されたのは一九一六年三月一日である。

クラインガルテンの一ヘクタール当収量は、約二五〇キログラム。四人家族の需要の約半分をまかなうことができた。ベルリンの公園の一部や河川敷も市当局の許可を得てクラインガルテンに利用されるようになった。さらに家兎飼養もなされた。ウサギであれば、牛や馬のように大きな畜舎を必要としない。クラインガルテンの野菜屑をウサギの飼料に使えば飼料費も節約できた。ヤギも飼われたが、これは一部にとどまった、という。

なお、ヴィンセントによれば、イギリスでもアロットメントと呼ばれる小菜園のブームが起こった。公園、ゴルフコース、郊外の空き地などが開墾され、アロットメントに使用されたが、イギリスの食糧状況を改善するまでにはいかなかった、という。

以上のように、戦時下の都市の食生活は、絶対量が足りない分、種類や方法はヴァラエティに富んでおり、質が悪いだけに、実態を覆う言葉は必然的に仰々しくなった。政府と軍は、短期決戦を予想していたためほとんど無策であり、住民たちは、自力で食料を勝ち得るべく「一片のパンをめぐる闘争」に巻き込まれていく。富裕層は密商から高価な食料を買うことができたが、貧困層は民衆食堂や代用食で急場を凌ぐ。あるいは自ら作物を育てる。それも不可能なら犯罪に手を染めるしか方法がなかったのである。

3　行政の介入――価格統制から戦時食糧庁設立まで

（1）　価格統制

一九一四年八月四日、開戦から三日目、銃後のパニックを軽減するために、ドイツ政府は一六の法律を公布した。そのなかに「最高価格に関する法律」というものがあった。

すでに開戦直後から、動員による交通機能の停止、買い占め、売り惜しみによる食糧不足と価格高騰がみられ、労働者や出征家族を圧迫した。政府は、こうした投機目的の農産物価格のつり上げをあらかじめ制御するために、個々の食料品に最高価格を設定したのである。第四条では、最高価格を超えて販売した者や、貯蔵品を隠匿したりした者は、三〇〇〇マルク以下の罰金刑、あるいは六ヵ月以下の禁固に処すことが定められ、即日施行された。しかし、すぐに混乱は収まるはずだという意見が根強く、政府はしばらく実行せずにいた。ところが、やはり投機熱は止まず市場が混乱してきたので、一九一四年一〇月二八日、政府はようやく穀物と麬《ふすま》*の最高価格を布告した。燕麦は一一月五日、食用ジャガイモは一一月二三日布告の法律で種類別に定められた。

ただし、重要なのは、最高価格が定められたのは穀物やジャガイモだけで、豚肉の価格は上限が定められることなく高水準のままであったことである。それゆえ、農業経営者は、比較的安価な穀物やジャガイモを飼料にまわし、高い価格で豚を売った。この転換が国内のジャガイモ不足をもたらす。問題は、各作物間の有機的な価格設定がなされなかったことなのである。

また、値段設定は各自治体に任せられており、都市によって価格が異なった。一トンのライ麦価格は、ミュンヒェンとシュトゥットガルトでは二三七マルクだったが、東エルベ地方では二〇九マルク、ベルリンは二二〇マルクであって、この差がまたさらなる投機を招き、問題はより深刻になった。

一九一五年九月二五日には、帝国価格調査局が設立される。これは貧困の実態に即した価格調整を目指すものであった。そのために各自治体の価格調査局と国家の価格調査との協同が図られたが、結局、提言をするにとどまった。

麬　小麦をひいて粉にしたあとに残る表皮の屑で、タンパク質、ビタミンに富み家畜飼料として使用される。

こうした杜撰な価格統制は、食料価格の上昇を止めることはできなかった。たとえば、フライブルクでは、一九一四年から一九一五年までに、豚肉が七〇パーセント、ジャガイモが七五パーセント、卵は一五〇パーセントも上昇した。また、『図説　ドイツ革命史』（一九二九）によれば、ザクセンにおける四人家族、一週間分の食費は、一九一四年六月に平均二四・五二マルクだったのが、一九一五年六月には三八・四二マルク、一九一七年には五五・九八マルクにまで上昇した、という。食費の上昇率は、賃金の上昇率をはるかに上回り、家計を圧迫した。

政府の価格政策は、とりわけ下層の消費者の側に立ったものではあったが、営農家と商人の経営心理を読むことができず、最終的には消費者にさえも混乱を来す結果になった。農民は、経営者であるかぎり、社会がどんな緊急事態に陥っていてもまず利益を得ることを考えるのが、資本主義社会の鉄則である。エーレボーは、『世界大戦下のドイツ農業生産』（一九二七）のなかで、この鉄則を政府が自覚していなかったことを痛烈に批判している。

（2）配給制

配給制とは、特定の社会階層だけに生活必需品が集中しないよう、国家や公権力が需要をコントロールし、公平かつ安価に分配できるよう管理することである。大戦期ドイツの場合でもこの配給制が導入される。これによって特定の

Bezirk: No.
5 Personen
Stadtgemeinde Freiburg i. Br.
Brot- u. Mehlkarten
Gültig vom 22. Jan. bis mit 18. Febr. 1917
für
-Straße Nr.
Nur gültig mit diesem Umschlag! - Nicht übertragbar!
Sparet Brot- und Mehlkarten!

図9　フライブルクで発行されたパンおよび小麦粉の配給切符（五名分。有効期限は一九一七年一月二二日から二月一八日まで）(Chickering, p. 232.)

食料は食料切符でしか購入できなくなる。食料切符は、たとえば一週間分ならそれに必要なだけの量が配布される。富裕層でさえも、ある決まった量以上の食品を購入することができなくなるわけだ。

一九一五年一月二五日、ドイツでパンの配給制が導入される。交戦国のなかでは最も早い。二月にはドイツ各都市で食料切符が発行された（図9）。三月一日には、小麦の配給が全国一律一日二〇〇グラムに統一された。一一月には牛乳の配給が始まり、翌年四月からはジャガイモも管理されるようになった。分量は各自治体によって異なった。

たしかに、重労働者や病人、子どもなど特別に追加切符《ツーザッツカルテ》が発行された例外を除けば、基本的には国民に平等に配布された。しかし、配給量は少しずつ減っていく。フライブルクでの小麦の配給は、一九一六年二月には二〇〇グラムであったのが、三カ月後の五月には一八〇グラムに減った。一九一六年秋には全食料の包括的配給制が導入されたが、これも絶対量の不足と密商の暗躍によって、崩壊していく。一九一六年冬の大人一人当たり、一週間分の配給量は、パン一九〇〇グラム、ジャガイモ二五〇〇グラム、バター二五〇グラム、肉一八〇グラム、砂糖一八〇グラム、卵半分であった。一日の摂取熱量は合計わずか一三一三キロカロリー。成人男性一人当たり必要な三〇〇〇キロカロリーをはるかに下回る。重労働者でさえ、二四六五キロカロリーしか割り当てられなかった。▼

▼なお、ボンの栄養学者R・O・ノイマンの報告によると、一九一六年二月から一九一七年五月まで配給だけで生活したところ、体重が七六・五キログラムから五七・五キログラムにまで落ちたという。

とはいえ、この配給制は、生死の狭間で飢えを凌いでいる人々の最後の命綱であったこともまた否めない。でなければ、配給制が一九二二年まで存続し、不安定期のヴァイマル共和国の生命基盤を支えつづけることはありえなかったはずだからだ。

(3) 肉なしデー

一九二五年一〇月二八日、帝国議会は「肉なし・油脂なしデー」の導入を議決した。価格政策で消費を間接的に誘導するのとは異なる、節約主義である。政府が消費「行動」を「直接」コントロールする。これは、第一次世界大戦期のみならず第二次世界大戦期ドイツの食糧政策全般にいえることである。具体的には、つぎのようなことが決められた。

第一項　火曜日と金曜日は、肉・肉製品、ならびにその全体あるいは一部が肉でつくられている食品を消費者に売ってはならない。……

第二項　料理屋、酒屋、食料品店ならびにクラブ、飲料店で販売が禁止されているもの。

（1）月曜日と木曜日は、肉、ジビエ、鳥、魚ならびに脂、脂身で揚げたり、焼いたり、煮たりした食品、または溶かした脂。

（2）土曜日は、豚肉。（BL: 209–210）

もちろん、このとき貧困層はすでに肉を買う余裕がなく、ほぼ毎日が「肉なしデー」であったので、基本的には比較的裕福な人々がターゲットであったと推測できる。ただ、効果がどれほどあったかは定かでない。一九一七年になると、前線でも肉なしデーが導入され、兵士たちの糧食に対する不満を高める一つのきっかけとなった。

（4）戦時食糧庁――「食糧独裁」への希求

一九一六年五月二二日、国家による「食糧独裁」が実現した。戦時食糧庁の設立である。消費者たちの多くは、各地域の食料価格の差異や自治体の食糧管理に限界を感じており、国家権力を背景にした強力なリーダーシップで食糧危機を乗り切ることを、この新しい組織に期待したのである。

戦時食糧庁の長官は、バトッキ*である（図10）。バトッキは、一九〇七年から一九一四年まで農業会議所（農業経営者の利害団体）の議長を務め、一九一四年夏のタンネンベルクの戦い*でドイツが勝利を収めた後、地方長官として東プロイセンの建て直しに尽力した。バトッキはその功績を認められ、首相ベートマン・ホルヴェークによって戦時食糧庁の局長に任命された。戦時食糧庁は、ベルリンのモーレン通りに位置し、二〇〇名の職員を有する組織であった。図11は、帝国食糧体制組織図である。戦時食糧庁は内務省直属である。局のなかには、そもそも戦時食糧庁よりも早くに設立されているものもあった。これらを

アードルフ・フォン・バトッキ＝フリーベ　一八六八～一九四四年。保守党の政治家。リトアニア系の貴族で大土地所有者であった。

図10　バトッキ

タンネンベルクの戦い　一九一四年八月二六日～三〇日に戦われたドイツとロシアの会戦。ドイツ軍がロシア軍を完全に包囲して殲滅した。

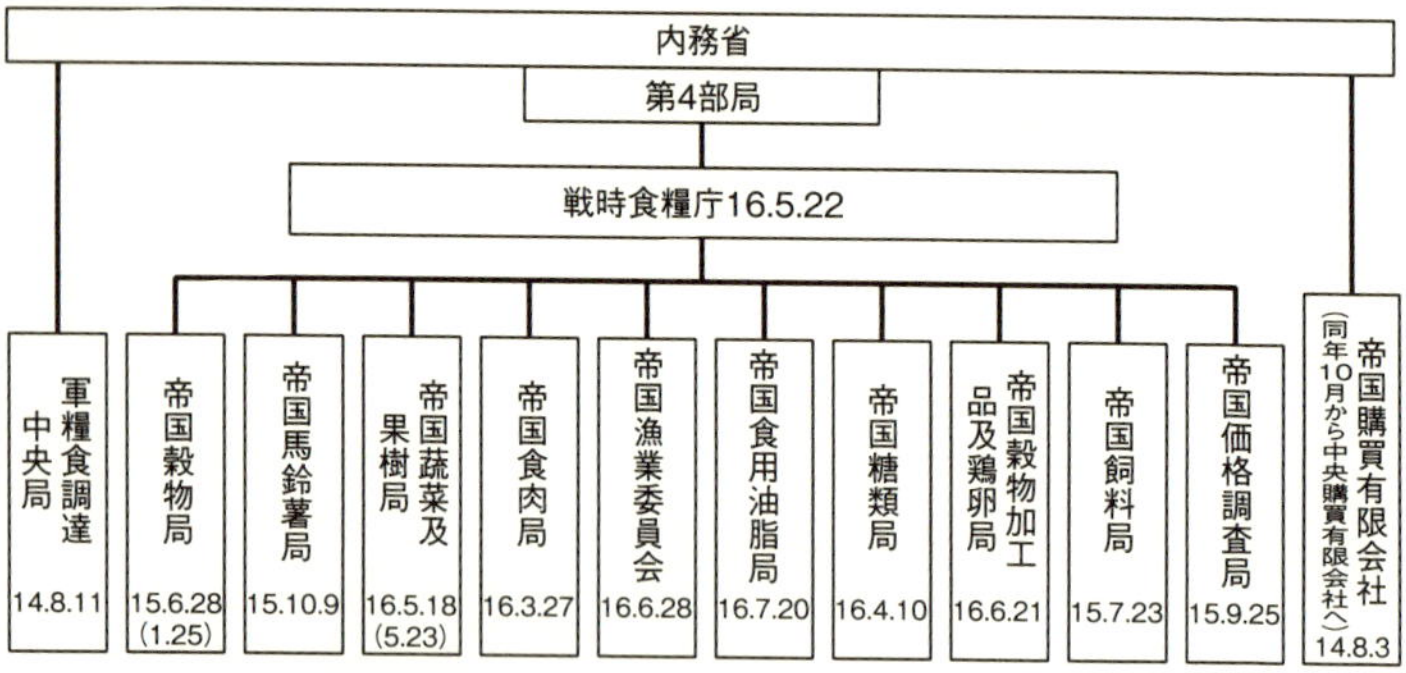

図11　国家食糧統制組織図

註：数字は、組織（管理部門）が設立された年（下二桁）、月、日である。経営部門の設立日が異なる場合は括弧で示した。

（Roerkohl, *Hungerblockade und Heimatfront*, S. 75. および Skalweit, S. 240-246. から筆者作成）

一つの命令系統にまとめあげることが目的でもあった。

しかし、ユンカー*と深いつながりがあるプロイセン州の農業大臣や、伝統的に独立意識の強いバイエルンなどの諸邦は非協力的態度をとった。また、営農家たちは、戦時食糧庁の政策を「冷たい社会主義」と呼んで攻撃した。一方で、労働組合員と社会民主党員は、費用の社会化と貧しい住民にも購入できるような食料品価格の管理と合理化を要求した。

こうして、戦時食糧庁は、消費者と生産者、軍部と文民のあいだで板挟みにあい、身動きがとれなくなる。軍部はたびたび強権を発動し、兵士の食糧や軍馬の飼料を徴発した。すでに述べたとおり、

ユンカー

ユンカー Junker は、ドイツのエルベ川東部の農場領主（グーツヘル）の俗称。穀物を中心とする大農場を経営するとともに、高級官僚や高級将校を輩出。ドイツ保守主義の牙城であった。

企業は、生産者と直接掛け合って、統制価格よりも高いヤミ価格で食料を買い込み、社内食堂の食をまかなった。こうした苦況は、次官であったアウグスト・ミュラーに端的に現れていた。大戦中の食糧不足についてシュミット＝クリンガーベルクという記者が書いた「台所での闘争」という記事（『シュピーゲル　スペシャル』二〇〇四年一号）によれば、ミュラーは、ハンブルクで協同組合の組合長をしていた社会民主党員であった。社会民主党員でありながら戦時初の政府高官になった人物であり、ここにも保守主義的な営農家たちが「冷たい社会主義」と呼んだ一つの根拠があった。ところが一方でミュラーは社会民主党員からも攻撃を受けた。一九一六年八月、約三〇〇〇人の聴衆を前に彼はこう演説した。「全体としてみれば、これまでこの困難な時代をうまく乗り切ってきたわれわれは、まだなお多くの幸運に恵まれている」「労働者の賃金も高くなった例をたくさん知っている」と。これを聞いた労働者たちからは失笑が漏れ、抗議の声があがる。たばこ工場の労働者フリードリヒ・ヘルマンはこんなヤジを飛ばした。「ミュラー博士とアルスター湖周辺［高級住宅街のことを指していると思われる］の方々には八日間ほど戦時食堂の食事をしてもらわなくてはならんな。」

　結局、戦時食糧庁はうまく機能しなかったので、もともとこれに満足していなかったプロイセン政府は、ゲオルク・ミヒャエーリス（のちに、ベートマン・ホルヴェークのつぎの首相）をトップにすえた独自の「民衆食糧国家委員会」を設置した。ただし、これも思うような成果を収めることができなかった。

一九一八年の春になって、ユンカーの利害代表団体であるドイツ営農家同盟*は、政府に対し自由な農作物の販売を求め、戦時食糧庁にみられる食糧統制機構を、やはり「社会民主主義」的だと言って批判した。ここから、生産者と消費者、保守主義者と社会主義者のあいだの溝が深まっていることが分かるだろう。食糧危機がますます城内平和を破壊していくのである。一九一七年三月に書かれた陸軍情報部高等検閲課編『ドイツ諸新聞用検閲の手引き』の「食料品」の欄には、「食糧問題に関し、国民各層のあいだの団結をかき乱すような記事や報道は禁止される」と記されていた（BL: 280）。逆にいえば、それほどまでに食料品は、銃後の混乱・分裂・仲違いの実質的な原因であるとともに、象徴だったのである。

なお、停戦後の一九一八年一一月一九日、戦時食糧庁は帝国食糧庁に改名したあと、一九一九年には帝国食糧農業省に格上げされる。たしかに、戦時食糧庁は大きな成果を残すことができなかったにせよ、少なくともヴァイマル共和国政府に、食糧管理の重大さ、国家介入の必要性を訴えるだけの存在感を示したことは否定できないだろう。人間の生命基盤をできるかぎり国家が保障する社会国家の生成に、大戦期の飢饉が果たした役割は決して小さくない。

ドイツ営農家同盟
ドイツ営農家同盟 Bund der Landwirte は、一八九三年二月一八日に結成されたユンカーの利害代表団体。設立の背景には、一八九〇年代前半の農業危機とカプリーヴィの貿易自由化政策があった。カプリーヴィに反対し、輸入農作物に対する保護関税を要求した。大戦前の一九一三年には三三万人のメンバーを擁するロビー団体に成長。政治的には反ユダヤ的、帝国主義的、保守主義的傾向にあり、ドイツの帝国主義的な戦争目的を擁護した。一九二一年に解消され、全国農村同盟 Reichslandbund に吸収される。

第3章 日常生活の崩壊過程
——「豚殺し」と「カブラの冬」

ケーテ・コルヴィッツ《ドイツの子どもたちが飢えている！》1923年。「国際労働者救援会」の依頼を受けて作成された。画の右下には寄附先の住所と郵便口座が書かれている。(Käthe-Kollwitz-Museum, Berlin)

1　深まる危機

前章で述べた食糧危機への民衆の対応は、ある意味では、栄養不足にさらされた生物学的な反応であったし、生活の知恵のようなものでもあり、悪くいえば、精神主義的なごまかしにすぎなかった。対応に遅れていた政府は、食糧分野への大胆な介入を試み、それはそれで画期的なことではあったが、旧来の制度的・政治的しがらみに足をとられ、有効な動きをとることができなかった。価格統制は穴が多く、配給制は密商に掘り崩された。民衆たちの反応・知恵・精神主義を制度化することで、政府はなんとかその正当性をつなぎとめていたにすぎない。こうした危機をさらに深刻化させたのが、一九一五年の「豚殺し」と一九一六年から一七年にかけての「カブラの冬」であった。

これまでの欧米の研究は、「豚殺し」と「カブラの冬」をドイツの銃後の崩壊を象徴する事象として取り上げてきたが、日本においては、「豚殺し」の存在はあまり知られておらず、「カブラの冬」ばかりが取り上げられてきた。しかし、「カブラの冬」にみられるドイツの飢饉の悲劇を知るためには、まず「豚殺し」にみられるドイツ政府の農業・食糧問題への対応のまずさと、そして学者たちが戦争のなかで浮き足立っていく様子を知る必要がある。政策と学知の共倒れが、「カブラの冬」への道を舗装したからである。

2　豚殺し

大戦中、飼い主によって捨てられるペットが急増した。フライブルクでは、一九一六年に三二〇匹の犬と七八八匹の猫が置き去りにされたまま死を迎えた。ペットのエサ不足も深刻化したからである。しかし、これらの犬や猫とは比較にならないほどの受難を体験した動物がいた。豚である。

その受難とは「豚殺し」と呼ばれる。文字通り、ドイツ全土で豚が「ドイツの敵」として、大量に屠殺された珍奇な現象である。

戦前のドイツでは、都市人口の増加と食生活の変化によって肉の消費量が飛躍的に増大していた。スカルヴァイトによれば、一人当たりの肉消費量は、一八九七年に三六キログラムだったのが、一九一二年になると五二キログラムにまで上昇していた。このなかでも豚肉はドイツ人の食卓に欠かせぬものであった。一九一二年の段階で、ドイツの肉の総消費量は三四六万トン、そのうち豚肉の消費は二一六万五〇〇〇トンで、三分の二近くを占めた。大戦中、豚肉の価格が上昇し始めると、家庭の生ゴミで豚を飼うものも現れるほど、豚肉はドイツの民衆にとって愛着のある食べものであった。

さて、すでに述べたように、戦争初期に政府が穀物価格の最高価格を決定したあと、食肉価格が穀物価格より高水準になったため、農民たちは、比較的安価な穀物やジャガイモを家畜の飼料に転用するようになった。これでは貴重な人間の食料が家畜に回されてしまう、と考えた政府は、こうした動きを牽制するため、開戦から三ヵ月経た一九一四年一〇月二八日、パン用穀物および穀粉の家畜飼料化禁止を通達した。しかし、この流れは止まらない。そうしたなか、一九一四年末から一五年初頭にかけて、つぎのような学者の意見が新聞を賑わせるようになった――。家畜の飼料消費は、人間の二倍以上（戦前のデータでは、人間の消費カロリーは八五九億カロリー、家畜の消費飼料は一八四〇億カロリー）であり、家畜頭数を減らすことで、それに見合う大量の植物性食料を人間のため浮かすことができる。標的は、とりわけ、飼料消費量の多い豚に向けられた。エーレボーは当時の学者の意見をこうまとめている。「五〇キログラムの豚肉の生産のためには九〇キログラムのジャガイモか二五キログラムの大麦を必要とするのに対し、これらは人間の食料としては一キログラムの豚肉よりも遥かに多くの栄養を供給し得る」という「単純な計算」だ、と。学者たちは、もし、このままジャガイモが豚にまわされるのであれば、一九一五年七月末で、ジャガイモの在庫が尽きてしまう、という計算をはじき出した。一二〇〇万頭の豚の殺戮が必要であるとされたのである。

一九一五年三月一五日に、家畜の頭数と同時に、ジャガイモの在庫登録がなされた。さらに、ドイツ諸都市は、帝国政府によって、住民一人当たり最低一五マルクの肉燻製品の調達を義務づけられる。豚肉加工を促進するためである。

こうして、ついに人類史上最大の豚の集団殺戮が始まった。「豚はドイツの第九の敵だ」というスローガンさえ叫ばれた。

結果は惨憺たるものであった。たしかに、一九一四年一二月にはドイツ全土で二五三〇万頭いた豚は、翌年四月一五日には一六六〇万頭にまで減った。各都市では突如として多くのソーセージやベーコンが店頭に並んだ。フライブルクでは、六七五頭の豚が殺されたが、二〇トンのベーコンおよび燻製豚が作られた。だが、ジャガイモの在庫は、種子用も含めてもわずか一〇〇〇万トンにしか達しなかった。他の都市では屠殺のテンポがあまりにも急速だったため、豚肉を燻製にしたり腸詰めにしたりする作業が間に合わず、多くの豚肉は肥料にするか、そのまま腐敗していった。学者たちは、豚肉と穀物の食物としての意義の違いを理解していなかったのである。栄養学的にいえば、豚肉はタンパク質と脂肪を人間に供給するのであり、エネルギー源としての炭水化物を供給する穀物の役割とは異なる。動物性脂肪は、穀物では代替にならない、貴重な脂肪源であったのである。学問の細分化および縦割化のひとつの帰結としても、豚殺しは記憶せねばならない教訓であろう。

こうして、ドイツ民衆の食卓に欠かせない豚肉とラードが減っていく。この「豚のサン・バルテルミの夜」（スカルヴァイト）は、一九一五年中に終息に向かったが、これ以降戦争が終わるまで、豚の頭数が増えることはなかった。こうした状況下で、ベランダで豚を飼ったり、自治体で飼ったりする例さえみられるようになる。ヴェストファーレンを対象としたレーアコールの研究は、自ら養豚経営に乗り出す自治体が現れたことを指摘している。その場合、エサは家庭の台所の生ゴミを使用するのであるが、収集システムも整っていない状況では、慢性的な不足を免れることはできなかった。収益性もほとんど上がらなかった。なお、自治体で飼育された豚は屠殺されて、優先的に自治体の民衆食堂で用いられたり、夫が戦争に行っている家族に安い値段で売られたり、貧しい住民たちに分け与えられたりしたという。

3　カブラの冬

一九一五年の豚の大量屠殺は、結局、食糧危機を打開するうえでほとんど意味をなさなかった。それどころかむしろ危機を深刻化させた。しかも、一九一六年は凶作だった。輸入に頼る必要のないドイツのジャガイモの収穫高は、一九一五年には約五四〇〇万トンだったのが、一九一六年には二五〇〇万トンにまで激減したのである。パンの配給量も以前にもまして少なくなってきた。こうした状況は、とくに都市下層の人々の食生活

図12　フライブルクのルタバガの倉庫（Chickering, p. 270）

を劇的に変えることになった。主食がルタバガになったのである。

この原因も、豚殺しと同様、価格政策の失敗であった。家畜飼料の高騰により、農民たちはジャガイモよりもルタバガの作付けを選んだのである。蒸留酒原料用ジャガイモ価格が急騰し、食用ジャガイモがそちらに流れてしまったことも災いした。その収穫期に当たる一九一六年の秋から食糧状況は深刻化し、飢饉といえる状況に陥ったのである。当時、大ベルリンでは、成人一人当たりの一日の公定配給量は、パン二七〇グラム、骨付き肉三五グラム、砂糖二五グラム、バター一一グラム、卵一四分の一個であった（BL: 293）。つまり、配給量は、一日一〇〇〇キロカロリー前後にまで下がったのである。ヴィンセントによると、一九一六年一〇月一五日の一日だけで、ベルリンで一七〇〇人がインフルエンザで死亡するまで、食糧危機は深刻化した。

カブラの冬のクリスマスも悲惨であったことは想像に難くない。一九一六年一二月七日付の『フォッシッシェ・ツァイトゥング』には戦時食糧庁の勧告が掲載された。「今年、脂、石鹸、ロウソクなどが不足している場合は、クリスマス用のロウソクは自発的に節約するよう切に願います。一本のクリスマスツリーには、ロウソクを一本だけ立てるのが望ましいでしょう。そのことによって、この行事の意義や厳粛さは少しも損なわれません。」さらに、「子どもの記憶にも一生残る貴重な想い出となるでしょう」というお節介なコメントも忘れない徹底ぶりである（BL: 292）。この表現からも、あの精神主義、つまり、現状の悲惨を変えるのではなく、子どもの無邪気さによって解消してもらおうとする戦時食糧庁の、そして大人の醜い意図がみえてくる。

だが、精神は腹の足しにはならない。ルタバガをとにかく食べなくては生きていけない。そこで、ルタバガを少しでも美味しく食べてもらおうと、この時期に「四人分のルタバガ料理」というビラが配布された。このビラは、『図説ドイツ革命史』（一九二九）に掲載されているので引用してみよう。「ルタバガスープ、ジャガイモ付きルタバガ、ルタバガ炒め、ルタバガスフレ、ルタバガプディング、ルタバガ団子炒め、ルタバガカツレツ、青キャベツとルタバガ、赤キャベツとルタバガ、白キャベツ付きルタバガスフレ、ロールキャベツのルタバガ詰め、ルタバガサラダ、酢漬けルタバガ、セイヨウネギ付きルタバガ、リンゴ付きルタバガ、ルタバガの詰めもの、煮込みルタバガ団子、ルタバガのピューレ、ルタバガのジャム。」

ルタバガばかりの単調な食卓に少しでも変化を加えようとする涙ぐましい努力が、このレシピからうかがえる。このような料理が人々を満足させたかどうかは分からない。ただ、当時うたわれたつぎのような家出息子の歌から、人々の心理の一端を垣間見ることができよう。

カブラよ、ああ、カブラよ
おまえはぼくを追い出した

母さんが肉料理を作ってくれたなら
家に残っていただろうに

また、カブラの冬を体験したアメリカ人、ステファン・マイルズ・ブートンは、当時の状況を伝える生々しい回想録を残している。

米、マカロニ、オートフレークいっさいなしで、あるいはバター、ラード、油なし（というのも週五〇グラムの脂肪分ではないに等しいのだ）で生活することが何を意味するのか、そして、三週間に卵一個とか、一週間に五ポンド［約一八〇〇グラム］のジャガイモしか当たらないとか、牛乳が全くなく、台所に香辛料さえないとか、リンデンの花を紅茶がわりにし、タンポポの根や炒ったドングリをコーヒーに用いなければならず、しかも牛乳も砂糖もなく、わずかに少しばかりのサッカリンがあるだけというようなこととかを、肌で体験したことがない人が表現することは絶対に不可能である。ドイツは、たくさんの種類の安いチーズがあり、それが肉の代わりに食べられているような国であった。そのチーズも、一九一六年の夏からはもはやなくなってしまった。非常に裕福な階層は別として、ドイツ人はみな慢性的な飢えの状態にあって、食事のあとでもひもじいし、ひもじいままベッドに入るのであった。毎日の食事が単に量的に足りず、質的にも低レベルであることだけでなく、死ぬほどの単調さのせいで、ドイツ国民の強健さどころか士気までも、結局のところ崩壊してしまったのだ（BL: 293）。

代用食品に囲まれながら「死ぬほどの単調さ」を味わったブートンの言葉は、カロリー数値だけで食の状況を推測する官僚や学者の現状認識能力の貧しさを突くものであろう。こうしたカロリー中心主義的な計算が、少なくともまだゆとりのあった一九一五年の状況を、あの「豚殺し」によってさらに悪化させたのである。

カブラの冬の特徴は炭水化物の不足だけではない。「肉なしデー」が導入された一九一五年一〇月の状況は、カブラの冬の時代からすれば、やはり恵まれていたと言わざるをえない。一九一七年四月八日付の『フォッシッシェ・ツァイトゥング』の次の記事をみてみよう。

「プロイセン州の」農業大臣が、昨年の初めに、若いミヤマガラスを住民の食料にするよう訓令を出してから、これらのカラスはたいての大都市において、平均価格一マルクで売られていたが、カラスの大きさによっては、もっと安く売られることもあった……ところで今年の価格はどうか！　この数週間、いくつかのベルリンの商店では、老齢のカラス、しかもハイイロガラスやクロガラスを、一羽二・三から二・九マルクで売っている。まったく前代未聞の価格だ。それというのも、この味は、若いミヤマガラスにはとても及ばず、昔なら農民が打ち殺し、堆肥のうえに捨てていたものだからである（BL: 298-299）。

ついにはスズメにも白羽の矢が立てられる。『あらゆる家庭のための一般ガイドブック』（一九一七年一二月二二日付）という雑誌は、スズメの調理方法を載せている。「スズメは若いハトのようにきれいに加工し、少量のバターで炒め、野菜やタマネギと一緒に柔らかくなるまで煮込む。塩、月桂樹の葉、パセリが味を引き立て、あとは白ワインが添えられれば申し分ない。一人前、スズメ一羽に水四分の一リットルである」（BL: 299）。

こうして食の量の減少のみならず質が（文明化された国の住人の基準からすれば）悪化していくことによって、食事自体が、「緩慢な餓死」（三宅立）を意味するようになっていく。ベルリンの医師アルフレート・グロートヤーンは、一九一七年二月二〇日付の日記に、「いまや、国民死亡率の増大がいちじるしくなり、ベルリン市民も、これまでの苦労が刻まれた皺とたるんだ顔の皮膚が、そのうえさらにしっくいのように白っぽく見えるようになった」という観察記録を残している。また、同年七月五日の日記でも、「いまや徐々に本当の飢餓が始まっている。今日は、以前私の患者だった男がやってきたが、彼は六六ポンド［約三〇キログラム］も体重を落としていた」と述べている▼（BL: 335-336）。同じ日の欄に、官庁で「ルタバガパン」の試食をしたと書いてあるが、グロートヤーンは医者の視点からルタバガパンの栄養価について意見を求められたのだ

▼なお、ヴァイマル時代に優生学者として活躍するグロートヤーンに関しては、川越修『社会国家の生成』（岩波書店、二〇〇四年）を参照。

ろう。折からのインフルエンザの流行もあり、カブラの冬における病院の混乱も容易に推測できる。

こうした状況では、ヤミで食料を購入するしかないが、それもままならぬ場合は飢えていくしかない。当時、つぎのような風刺絵はがきが登場したのも、こうした時代状況の反映である（図13）。

お悔やみ

われわれは、苦痛に満たされつつ、すべての知人、親類の皆様に悲しいご報告をいたします。今晩八時にわれわれの愛する、善良なる仲間、

一塊のパン

が長期間保存された末、八日を過ぎた高齢でついに食べ尽くされるに至りました。悲しみにくれる遺族に一枚のパン切符をお恵みください。

父　ヨーゼフ・フンガー［飢餓］
母　マリー・フンガー［飢餓］旧名コールダンプ［空腹］
婿　アントン・ヴェーニッヒフライシュ［ほとんど肉なし］
　　フリッツ・オーネフェット［脂肪なし］
おば　ベルタ・シュマールハンス［やせっぽち］
姪　ディーナ・メールノート［小麦粉不足］

マーガーシュタット［瘠せ細り市《し》］　一九一七年一〇月

永眠したのは人間ではなくパンである。当時の新聞では、戦死者の死亡広告が掲載されたが、それのパロディーとして、享年「八日」の「一塊のパン」を死者に見立てているのである。これは、まるで笑うしか対処方法がないかのように困窮化した当時の民衆の状況を浮き彫りにしているだけでなく、民衆の政府に対する不満の表明であり、痛烈な批判の痕跡としても読めるだろう。食糧問題に対する意見表明は、それが人々の根源的な欲求に訴えかけるものだけに、国家にとって脅威であった。それゆえ、すでに述べたように、政府は、食糧問題に関し、国民各層のあいだの一致をかき乱すような記事や報道を禁止していたのである。この「死亡広告」が出た翌月、ロシアではボリシェヴィキが政権を奪取する。ドイツでも次第に反戦運動が盛んになり始めるのだが、これに関しては第4章で述べたい。

Trauer-Anzeige.

Schmerzerfüllt geben wir allen Bekannten und Verwandten die betrübte Nachricht, dass heute Abend 8 Uhr unser lieber, guter

Kollege **Brotlaib**

im hohen Alter von über 8 Tagen nach langem Sparen endlich aufgegessen worden ist.

Um eine Brotmarke bitten
die traurigen Hinterbliebenen:

Der Vater **Joseph Hunger,**
Die Mutter **Marie Hunger**
geb. Kohldampf.
Die Schwiegersöhne
Anton Wenigfleisch,
Fritz Ohnefett,
Die Tante **Berta Schmalhans,**
Die Nichte **Dina Mehlnot.**

Magerstadt, im Okt. 1917.

図13　パンの「死亡広告」(Deutsches Historisches Museum, Berlin)

　そして、カブラの冬の歴史的意義を考えるにあたって重要なもう一つの点は、食糧供給の不足が、消費者と生産者、都市と農村のあいだに亀裂をもたらしたことである。ドイツの歴史研究者ウルマンはこう述べている。「都市の住民たちは、農民たちに対して怒りを増幅させていった。農民たちは、価格の上昇ばかりでなく、食糧不足に対してまでも責任を押しつけられた。田舎のやつらは食糧を備蓄していて、価格上昇を引き出すために統制から逃れ、それによって都市は飢えるのだ、と。他方で、消費者向けの国家統制経済は、そのあらゆる干渉と失策によって、農民たちのますます大きくなる誤解と、増えつつある抵抗にあっている。その農民とはとりわけ、戦争によってすでに充分に負担を抱え込み、都市の住民たちと比べ冷遇されていると感じる農民たちである。」

豚殺しもカブラの冬も、農民の「利益追求の結果」であったという意識が、この状況下で芽生えるのは当然である。人々が飢えているのに、市場価格の低いジャガイモの代わりに市場価格が高騰している飼料が作られていると聞けば、怒るのは当然であろう（図14）。だが、大戦中、農村の生活状況も決してよくなかった。政府の生産統制、供出強制、農産物の最高価格の制定などに圧迫され、生活も楽ではなく、政府に対する反発も高

図14　豚に目玉焼きを与える主婦（Davis, p. 68）

まっていた。利益の上がる作物を選択するのは、農民たちにとってみれば生活防衛の手段でもあった。

4　女たち——争いと行列

前線の主役が成人男性ならば、銃後の主役は女性と子どもである。女性たちは食を確保するために、平時では想像だにしなかったようなことを平然とやってのけた。カブラの冬の日常を窺う史料にも、当然ながらこうした女性たちの奮闘が多く描かれている。一九一六年の秋にベルリンを訪れたデンマークの女優アスタ・ニールセンは、回想録『沈黙の女神』のなかで、包丁をもって馬の死骸を襲う主婦たちの様子を克明に記録している。

ある日、私は一頭のやせこけた馬が、倒れ死ぬのを見ました。たちまちそれを待ち伏せしていたかのように、長い刃の料理包丁で武装した女性たちがまわりの家から出てきて、この死骸に襲いかかりました。叫び声をあげたり、殴り合ったりしながら、最も良い部位を取ろうと争っている人たちの顔や服に、湯気の出ている血がはねかかりました。別の飢えてやせ衰えた人たちも寄ってきて、お椀やカップのなかに温かい血を集めます。こぼれた血で舗道は赤く染まりました。馬が荒野に横たわる骸骨のようにかじり取られてしまうと、ようやく人々は奪い取った肉の塊を心配そうに平べったくなった胸に押し抱え、急いで散っていきました（BL: 265）。

まさに、弱肉強食の世界である。食べものをめぐる「万人の万人による闘争」である。このようないわば野生状態に陥ると、社会的存在である人間の諸関係に亀裂が入り始める。たとえば、クルト・トゥホルスキー*は、一九一八年四月二九日付のベルリンからの手紙でこう述べていた。「ベルリンはひどい変わりようだ。たしかにベルリンは、上品な大都市とはいえなかったけれども、足りないものばかりの今では、これ見よがしにいばる人と飢えに苦しむ人とが、角を突き合わすのだからいやになる。……いまでは、何か隠し持っていないか、あんなにどっさりの小麦粉をどこから手にいれたのか、長靴はまだ持っているかなどと、みんな他人のふところを探り合う」（BL: 383）。まさに、城内平和が内部から崩壊していった証左だ。

つぎのパウル・フレーリッヒ*の回想（一九二四）からも、この食糧争奪戦の過酷さがうかがえる。「食料品の取引は、純粋な農業経済では残っているような原始的状態に堕落した。日曜日、多数の労働者がわずかなジャガイモを買いだめするために出て行く。それも、いつも労働者たちを駅で待ち伏せ、高い代金を払った獲物を取り上げる巡査を恐れながら。労働者の妻たちは、マーガリン数グラムを手に入れようと、夜、店先に立った。彼女らは「屠殺場付属の」下

クルト・トゥホルスキー　一八九〇〜一九三五年。ヴァイマル時代を代表する作家、ジャーナリスト。裕福なユダヤ人商家に生まれる。平和主義者として軍国主義やナチズムに辛辣な批判を浴びせた。一九三三年にナチスに市民権を剝奪され、二年後にスウェーデンで死亡。なお、大戦中に野戦新聞『フリーガー』を創刊している。

パウル・フレーリッヒ　一八八四〜一九五三年。商社の社員で社会民主主義者の新聞編集者。一九一二年から一六年まで『ブレーマー・ビュルガー・ツァイトゥング』、一九一六年からは『アルバイターポリティーク』の編集長を務めた。

等肉販売所の入口に、夜から明け方までポロネーズ舞踏のごとく立ち続け、腐りかけの肉とか骨の屑とかをわずかばかり手に入れた」（BL: 386）。「ポロネーズ」は、当時の流行語であった。食料品店のまえに整然と並び一歩一歩前へ進んでいく自分たちを、ポロネーズの踊り手に見立てて、こう呼んだのである。なお、労働者の密商も興味深い。これまで、本書では、密商の顧客の中心は富裕層であったと述べたが、食糧不足が深刻化すると、労働者たちもわずかな食料を求めてヤミに入っていったことが、ここから分かるのである。

食糧不足、体力消耗、早朝からのポロネーズ。こうしたサイクルを、周囲の目を気にしながら送る日常生活は、妻たち・母たち・姉たちを次第に疲弊させていったにちがいない。夫たち・兄たち・弟たちの戦死を受けとめるほどの気力が、カブラの冬以降、どこまで残っていたのかは、想像に難くないであろう。

5　子どもたち――犯罪と病気

戦争を始めるのは子どもではない。ヴィルヘルム二世もベートマン・ホルヴェークもモルトケも、子どもたちの祖父の世代であった。しかし、銃後の死者のうち、半数以上は、かれらの孫の世代であった。祖父たちの戦争は、かれらの息子たちや娘たちのみならず、孫たちにも戦死を強いた。子どもが戦死するのは、とりわけ第一次世界大戦以降の現象である。しかも、子どもたちは黙って餓死を迎えたのではない。多くの子どもたちが食料切符や食料を盗んででも生き延びようとしたのだ。だが、これを逮捕するのは、子どもではなく、大人なのである。

子どもは戦争の被害者であった。本書の冒頭で、家族の留守中に蓄えてあるパンを食べてしまい、罰を恐れて首をくくった少年の例を挙げたが、これほど強い罪の意識にさいなまれるのは、通常、子どもである。栄養失調になりやすいのもインフルエンザに罹りやすいのも、やはり子どもである。政治家や軍人がどれほど未来のドイツのために戦っているのだ、と主張しても、その戦争でもっとも死に至りやすいのは、子どもなのである。

本書の冒頭で挙げたベルリン少年裁判援助所所長ルート・フォン・デア・ライエンの論文「イギリスの飢餓封鎖とそれがおよぼす若者の犯罪および不良化に対する影響」(一九一九)は、大戦期および終戦から封鎖解除までの子どもたちの犯罪増加について指摘している。彼女はまず、「いたるところで、法と宗教の良俗が完全に崩壊している」と述べる。この原因は、イギリスによる「飢餓封鎖」であるが、これによって子どもたちの強固な法意識が崩壊し、少年少女の犯罪が増えるのである。犯罪に手を染めると懲役刑に処せられる。すると弱っていた体はさらに弱り、出所しても食べていくだけの能力を持っていない。「若者たちは、懲役刑に服役することによって、意図せざる死刑を宣告される。病気や、生活能力をなくさせるような持続的な苦しみを自ら招いてしまうのだ。」ベルリンでは、一九一八年に、一二歳から一八歳までの四六八五人が軽罪や犯罪によって有罪を言い渡されている。そのうち、三二一七人が盗みである。シュトゥットガルトでは、三ヵ月で、一二歳から一四歳の若者のうち二七三人が、畑泥棒で有罪判決を受けた、とライエンは言う。しかも、昔は、犯罪といえば非教養層の子弟が多かったが、いまでは教養層の子どもたちも有罪判決を受けるようになった。盗むものは、パン、小麦粉、ジャガイモが多く、パン配給切符の偽造もみられた。パン屋や粉屋への家宅侵入もたびたびあった。彼女はこのような例を挙げている。

ある少年は、もはや満腹になることが絶対にできないから、雇い主からパンを二個盗み、近くに隠し、毎日一度その宝物のところに行って、少なくともその日のこの時だけは満腹になろうとした。別の少年は、郵便局に雇われていたが、自分が手紙を届けるある婦人が、しばしばパンの追加切符をもらうことに気づいた。彼は、この婦人宛ての手紙を横取りした。このきゃしゃな青ざめた少年は、法廷でこう申し立てた。いつも腹が減っているうえに、郵便配達として階段をのぼり降りするので、ますます空腹がつのるのです、と。ある娘はフィアンセのために、自分の父親——市職員としてパン切符の分配を担当している——からパンの切符を盗んだ。彼女は二ヵ月の懲役刑の判決。学校では同級生の弁当かごが盗まれた。同級生の弁当かごを盗み続けた七歳の少年が、その理由を厳しく問われたとき、まったく悪びれることなく、目をむきながら言った。「だってボク、ほんとに腹ペコなんだもの！」

また、子どもは家計を支える貴重な労働力でもあった。家族Rの事例をライエンは挙げている。やもめの母は、工場労働者として週に四五マルク稼いでいた。義務教育を受けながら働く子どもが三人いる。一番下の子は、全身かきむしったような傷をつけて、病院に運ばれた。一六歳の娘は、家庭内の状況に関する絶望から、ガス栓をひねって自殺を試みた、という。

また、家族Pの事例。夫は金属加工職人。一九一五年四月一〇日以来、軍隊に。妻は、ある手術が原因で敗血症になり労働ができなくなった。一九一六年に六ヵ月の懲役判決。絶望と困窮から、盗まれた食料を受け取り、七人の子どもたちにわたしたのである。一番年上の一六歳の少年は、目下のところ贓物《ぞうぶつ》取得の疑いをかけられている。なぜなら、彼は馬車の御者として働きつつ、母親にもっと多くの現金をわたすために、盗んだ食料品を運んでいたからだ。みなが飢えていた。一番下の五歳と六歳の子どもたちは、外見からすると二歳か三歳のようにみえたという。

重要なことは、戦後も約半年間経済封鎖がつづいたことで、子どもたちの犠牲者がさらに増えたことだ。一九一九年六月五日付けの『フォッシッシェ・ツァイトゥング』には、アメリカのフーヴァー*の使節団に同行し、ドイツとチェ

ハーバート・クラーク・フーヴァー
一八七四〜一九六五年。アメリカの共和党の政治家。一九一七年に食糧管理庁長官、一九二一年に商務長官を務め、一九二九年、第三一代大統領に就任。一九三二年の大統領選でローズベルトに敗れた。

コスロヴァキアの国境地帯エルツ山地に訪れた記者のレポート「飢える子どもたち」が掲載された。食料が比較的豊富にあると信じられていた農村であるが、この記者はここを「地獄」と表現し、つぎのような事実を伝えた。

私は大きな諸村落を訪れたが、そこでは全児童の九〇パーセントがくる病に罹っており、子どもは三歳になってようやく歩き始めるというような始末である。／……／一緒にエルツ山地の学校に訪れてみよう。読者は、これが幼児たちの通う幼稚園だと思われるだろう。そうではない。これは七歳か八歳の子どもたちなのだ。……大きくてどんよりした眼の小さな顔。その眼は、巨大で、腫れていて、くる病の症状がある額によって影が差している。子どもたちの腕は骨と皮だけで、関節が脱臼している湾曲した足のうえには、腫れあがっていて目立つ、飢餓浮腫のお腹。ここにいる子どもたちのほとんどが、頭をまっすぐに保っていられない。消耗した頸部の筋肉が弱すぎて頭を支えられないのだ。……「この子をご覧ください」と担当医が説明してくれた。「この子は信じられないほどの量のパンを消費していたのに、ちっとも丈夫になりませんでした。私はこれらのパンが全部藁布団の下に隠されていたことに気づいたのです。飢えの恐れがこの子のなかに深く巣くってしまったので、この子は食べものを口に入れずに、それを蓄えていたのです。間違った動物本能が、実際の苦痛よりも飢えの恐怖の方をいっそう恐ろしいものにしてしまったわけです。

ケインズ*は、一九二二年初頭までに一二ヵ国語に翻訳され、全部で一四万部発行された著書『講和の歴史的帰結』の註で、この記事の一部を引用した。一九二〇年一二月の出版である。引用のあと、ケインズはこう付け加えるのを忘れなかった。「にもかかわらず、イギリスの納税者を救済するために、四、五〇歳になるまでこのような子どもたちが賠償金の支払いをすることが正義の求めるところなのだ、という意見をお持ちらしい大勢の方々がいるのである。」

ケインズは、戦時中、一時大蔵省に所属し、一九一九年六月七日までパリ講和会議におけるイギリス大蔵省の正式代表であった。最高経済会議にも大蔵大臣代理として出席。講和条約の草案に実質的変更を加える希望をもはや抱きえないことが明らかになるにおよんで、彼はこれらの地位を辞任した。この講和に対するケインズの反論の根拠の一つとして、この記事が、つまりドイツの飢餓状況が引用されたのである。ケインズは、敗戦国ドイツへの過剰な懲罰が、ドイツ経済にとってもあるいは世界経済にとっても負の効果しかもたらさないことを繰り返し主張した。これが、「ヴェルサイユ条約打倒」を掲げるナチ党の養分となっていくことを、もちろん、この時点のケインズは知るよしもなかったのだが。

「カブラの冬」の最大の犠牲者が女性と子どもであったことは、ドイツ民衆の憎悪をかき立てた。しかし、それはケインズが恐れたように敵国へと向かうだけでなく、内にも向けられた。つまり、ドイツ帝国政府とユダヤ人である。

ジョン・メイナード・ケインズ 一八八三〜一九四六年。イギリスの経済学者。自由放任経済を批判し、政府による経済への積極的介入を主張。修正資本主義の理論を展開した。

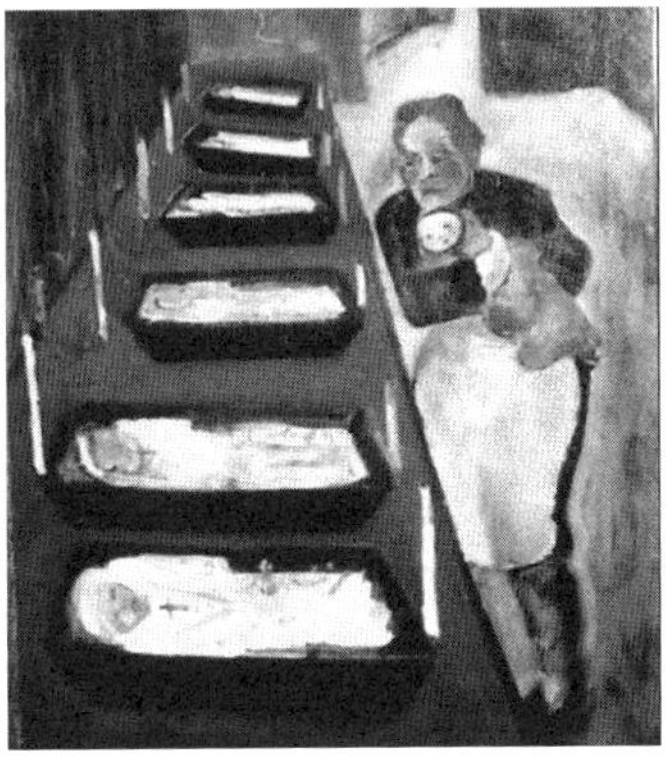

図15　ハインリッヒ・エームゼン《子どもたちの死》1917/1918年
（Deutsches Historisches Museum, Berlin）

前者は革命へ（第4章）、後者はナチズムへ（第5章）と接続していく。次章では、食糧不足の視点からドイツ革命について考えてみたい。

第4章　食糧暴動から革命へ

ベルリンの街角でパンの配給を待つ人々（BL：344-345）

1　崩れゆく「城」

第2章と第3章では、戦時下の日常生活がどのように飢饉の発生へとつながっていったのか、それが女性や子どもたちをどのように追い詰めていったのかを、具体的な事例を紹介しながら論じた。本章では、こうした日常生活の崩壊過程のなかに芽生えていく、銃後の政治意識・政治行動について考えてみたい。というのも、すでに述べたように、配給制の機能不全と密商の蔓延が戦前からの法の下の不平等をはっきりと民衆の目に突きつけたからである。所得の少ない家族は密商に頼ることができず、微々たる配給や大衆食堂によってなんとか飢えを凌ぐ。一方で、富裕階層はヤミで食料を購入できたし、農民たちは食料を売り惜しみ、価格が高くなるのを待ってヤミに流した。あるいはそのように信じられるようになった。貧富の差や、都市と農村の断絶が、労働者たち、とりわけ当時の流行語である「低資力女性 Minderbemittelte Frauen」に、この状況は決して自分たち個人のせいではなく、あるいは戦争という大状況だけの理由でもなく、社会の仕組みこそがもたらすものだ、という思いを抱かせはじめたのである。

一九一四年一二月、帝国議会で第二回戦時公債*募集の議決がかけられたとき、第一回目のときは棄権していたカール・リープクネヒト*は、単独で反対票を投

戦時公債
戦時公債は、膨大な軍事費を調達すべく国民から借り入れる借入金のこと。ドイツでは年二回計九回発行された。総額は九五九億五〇〇〇万マルク（ちなみに、一九一三年の国家財政は三五億二〇〇〇万マルク）。金兌換を停止され紙幣マルクとなった通貨は、平時の五倍出回り、慢性的なインフレをもたらした。これは、戦後のハイパーインフレーションの伏線となった。

じた。一九一五年一二月の戦時公債投票でも、二〇名の社会民主党議員が反対した。こうして「城内」のなかに「反対派」が出現しはじめる。さらに重要なのは、社会民主党も「城内平和維持派」と「反対派」に分裂したことである。一九一七年七月、ゴータで独立社会民主党が誕生し、このなかでもとくにリープクネヒトとローザ・ルクセンブルク*に率いられたスパルタクス団が独自性を維持して非合法活動も含む積極的な活動を続けた。独立社会民主党は、一九一八年八月の段階で党員約一二万人。社会民主党の党員数は、一九一四年には一一〇万人いたのが、一九一八年には二四万三〇〇〇人にまで減少し影響力を弱めていた。一方で、独立社会民主党は地域の労働者や海軍の水兵のストライキやデモを組織し、反戦・反体制運動へと導いていった。こうした労働者や兵士のエネルギーを基礎とする下からの革命を最初は後追いし、しかしながら、最終的には弾圧することによって、社会民主党のフィリップ・シャイデマン*やフリードリヒ・エーベルト*たち、すなわち、軍部と組んだ社会民主党穏健派が「共和国」を建設していく。ルクセンブルクとリープクネヒトは、一九一九年一月一日にドイツ共産党を結成して武装蜂起をしたが、二人とも一月一五日にベルリンで反革命義勇軍に殺害され、スパルタクス団も壊滅的打撃を受けた。

しかし、このような政治史的事実も、大衆の生活、とりわけ食糧に対する不満なくしてはありえなかった。ベリンダ・J・デイヴィスは、「政治」の概念を拡張することでしか、この時代の状況を説明することができないと述べてい

カール・リープクネヒト　一八七一〜一九一九年。ドイツの社会主義運動の指導者。社会民主党内では、執行部の官僚主義に対抗する左派を形成。第二インターナショナルが大戦遂行を指示したのに対し、それを批判した。ローザ・ルクセンブルクとスパルタクス団を組織し、大戦下の非合法活動を展開した。

ローザ・ルクセンブルク　一八七一〜一九一九年。ポーランド生まれの革命家。リープクネヒトとともにスパルタクス団を結成した。まもなく逮捕されたが、獄中から反戦・革命運動を指導した。

フィリップ・シャイデマン　一八六五〜一九三九年。ドイツ社会民主党の政治家。大戦中は、「城内平和」を唱え、党内左派を追放。一九一八年一一月の革命では、急進派に先んじて共和国宣言をし、一九一九年二月に初代首相になったが、ヴェルサイユ条約に反対して辞職した。ヒトラーが政権を獲得したあと、亡命。

る。デモやストライキはもちろん、食料品店に並ぶ主婦たちの行列もまた一つの政治的影響力をもったのであり、ここから戦時期ドイツの政治の磁場を再構成したのである。

「ドイツ革命は民衆に蓄積されたエネルギーの爆発」というような表現が従来の研究ではしばしば用いられてきたが、本章では、ベルリンの警察官による世情報告を分析したデイヴィスの研究を参照しながら、この「エネルギー」の政治的実態を、食の問題に即して述べていきたい。

2 行列から暴動へ——街角の「ポロネーズ」

戦争開始直後は、とくに食料価格の暴騰が人々の不満を高めた。もちろん、すぐに暴動に結びついた例は少ないが、主婦たちや労働者たちが食料品を購入しようと殺到する光景は、すでに一九一四年から各都市の至るところでみられた。

まずは、ドイツで総動員令が出される一日前、一九一四年七月三一日付の『ベルリナー・ロカール・アンツァイガー』をみてみよう。この新聞は、総動員直前の食料品店の混雑ぶりをつぎのように報告している。「食料品店での人出は、昨日すでにたいへんなものだったが、今日は例のない規模となった……あらゆる身分階層の主婦たち、粗末なワラのかごをもった労働者の女性たち、

フリードリヒ・エーベルト 一八七一～一九二五年。ドイツ社会民主党の政治家。党内では右派に位置づけられる。一九一九年二月にヴァイマル共和国初代大統領に選出された。

少なからぬ数の、大きな革の買い物バックで「武装」した女中連れの高貴なご婦人方が、市場の食料品売場へ押し寄せ、食料品を買い込んだ。なかでも小麦粉と卵は誰もが欲しがった。店主たちは、あちこちで殺到する人々をさばくことができず、緊急措置として、臨時の販売要員を導入しなければならなかった」(BL: 40)。これは、総動員による流通の停止で食料が足りなくなることを見越して、人々が殺到した例である。反戦運動や反体制運動とはほとんど関係はないが、食料をめぐって殺到する民衆のエネルギーこそが、大戦期の民衆の個人行動と、そして集団行動の核となっていくのである。

九月になると、商人たちや農民たちの投機行動による食料品の高騰が、都市民衆を直撃する。一九一四年九月八日付『フォアヴェルツ』のつぎの記事は、都市の貧しい女性たちが都市の公共空間のなかで大きな存在感を示しはじめていることを明らかにしている。

> 市営屠殺場の特設売場では、比較的安く売られる徳用肉に対して、このごろ異常なまでに買手が殺到する。……深夜に約百人の人々が肉の安売りの開始を待っていた。ここで売り出される品物の一片を手に入れようと、最貧層の人々は夜の睡眠を犠牲にする。持参の脚立や折りたたみ椅子に腰掛けたり、堀のふちや舗道にしゃがんだりして、秋の冷たい夜気のなかで震えている。夜が明けると新しい一団があとにくっつく。その大半は女性で、持参の腰掛けに座り、手編みの靴下を

取りだし、凍えた指で針を操る。長い待ち時間を有効に使おうというわけだ。最終的に、およそ六〇〇人から八〇〇人になった。／……買うときには運とツキがものをいう。買い手は品を選べない。売り手がくれるものを受け取るしかない。にもかかわらず、すさまじい押し合いへし合いだ（BL: 86-87）。

ここからもやはり、政府への不満も戦争反対の声も直接的には伝わってこない。ただ、ひたすら安価な食料を求めて街角に並ぶ女性たちの姿があるにすぎない。しかしながら、行列はそれ自体、行列の構成員である当事者の意図とは無関係に、他の傍観者に対して、あるいは当局にとってある種のメッセージを発信していた。

デイヴィスは、一九一五年二月のベルリン警視総監の報告を紹介している——。不愉快な情景が至るところでみられる。群集が食料を求めて群がっている。これは政府に対して反抗的でない人々にも大きな注意を向けることになる、と。つまり、群がるという行為だけで、秩序安定を職務とする警察には脅威だったのである。

そしてこの時期になると、人々の群れが騒動に発展する。一九一五年二月、ベルリン北東部の労働者街で、ジャガイモを求めて店に殺到した何千という女性や子どもたちが商品を取り合う騒ぎが起こった。デイヴィスによれば、「群集のなかから一〇ポンドのジャガイモを取りだしてきた女性は、汗でびっしょりになって、家に帰るまえに膝をがっくり落とした」というような「戦場」に直面したベルリン政治警察の巡査は、「こうした殺到に対し、警官たちは無力であった」というコメントを残しているという。ここに見られるように、警察側も民衆の食料騒動に対し恐怖心のようなものを感じていたのだった。

一九一五年六月のベルリン警視総監の皇帝への世情報告でも、その危機感はますます強まっている。「マーガリンは品薄になり値上がりしています。野菜は持続的な旱魃で、また値上がりしました。そのほかの食料品も依然として高価格のままです。値下げはまったく望めません。……概していえば、この状態は平静に受けとめられています。「飢餓暴動《フンガーレヴォルテン》」の兆候はありません。ですが、こういう物価高のもとで、しかも戦争が長引くとすれば、世論がいつまで耐えるかはとても予測しかねます」(BL: 202)。

ここで「飢餓暴動」という言葉が出現していることは、たとえその徴候がないという文脈ではあれ、注目に値する。つまり、戦争が長引けば、「飢餓暴動」さえ発生するかもしれない、という皇帝に対する警告とも読めるからである。ベルリンの市民たちは、食料を買うために食料品店に並ぶ自分たちを「ポロネーズ」と呼んでいたことはすでに述べた。まるでポロネーズ舞踏のようにならぶ市民たちからは、

図16　ハインリッヒ・ツィレ《ジャガイモ行列》一九一六年

たしかに「飢餓暴動」の徴候は読み取れない。しかし、警察からすれば、それはすでに脅威であり、危機であった。「パンの一斤を争う闘争」は、のちの反戦運動の前史というよりは、むしろ原型なのである。

3　日常における政治の顕在化——三級選挙法をめぐって

リープクネヒトが第二次戦時公債の議決にあたって否《ナイン》を投票したとき、ある三人の市民から彼宛に手紙が届いた。一九一四年一二月二日付の手紙である。「本日の戦債案に対し、勇気ある、感銘深き反対投票をされたことに、私たちは心から賛成いたします。あなたは祖国愛のほか、残念なことに、たったお一人ではありましたが、先を見通す聡明さも示されました。／残念ながら、あなたほどの勇気をもちあわせていない三人の市民より」(BL: 136)。この三人の市民が、どこまで食料価格の暴騰に苦しめられていたかは定かではない。たとえ、どれほど食料価格の高騰が生活に影響を及ぼしていたとはいえ、一九一四年一二月の段階ではまだ、彼らは反戦を訴える「勇気」を持ち合わせていなかった。これは、ドイツの一般市民にも当てはまるだろう。

だが、一九一五年秋になると、銃後の各地で、より強い政治的メッセージを訴える暴動が起こりはじめる。一九一五年一一月二〇日、ベルリンのウンター・デン・リンデンで、リープクネヒトを支持する民衆によって大規模なデモが組織された。これまでの食糧暴動とは異なり、「パンと平和を！」「戦争をやめよ！　平和を！　腹ぺこだ！　リープクネヒト万歳！　夫を返せ！」といったスローガンが繰り返し叫ばれ、革命歌もうたわれた。サーベルを持った警官がデモ隊を斬りつける騒動もあって、逮捕者、けが人が続出した。「おまえたちが塹壕に行け」と叫ぶ群集さえいたという。これは、Ｊ－Ｈの匿名で、『ユーゲント・インターナツィオナーレ』（一九一六年第三号）に投稿された体験談である（BL: 226）。ここでは、パンを求める声を、平和を求める声に合流させており、食糧暴動の延長としてとらえるべきではないだろう。だが、「カブラの冬」以前に、「パンと平和」が叫ばれていたことは、本書の関心からして注目すべきことである。

一九一六年五月一日のメーデーでは、ベルリンでリープクネヒトを先頭とした反戦デモが行なわれた。彼のビラはドイツ全土で配布された。「いざ、メーデーへ！　大戦中第二回目のメーデーを、インターナショナル社会主義のデモンストレーションもなく、帝国主義的殺し合いに反対する抗議もなしに見送ってはならない。……われわれの敵はフランス、ロシア、イギリスの人民ではなく、ドイツのユンカー、ドイツの資本家であり、その業務執行委員会たるドイツ政府なのだ！」（BL: 254）。リープクネヒトが裁判にかけられたあと、六月にはベルリンの軍需工業労働者五万五〇〇〇人がストライキに突入した。

一九一七年四月一九日、午前一〇時から午後三時半まで、ベルリンのレストラン、ベルビューで、倉庫労働者一七〇〇名を有する、クノール制動機会社の労働者全体集会が開催された。これがドイツ初のレーテ（評議会）である。参加数は約一五〇〇名。ここでは、リープクネヒトの釈放、政治活動の完全な自由、無賠償無併合の戦争終結のほかに、食糧確保による十分な給養という項目もあった（BL: 325）。

一九一七年一二月一日には、ハンブルク市庁舎前で飢餓に対するプロテスト行動がなされた。翌年一九一八年一月二八日、ベルリン、ハンブルク、キール、ライプツィヒ、ニュルンベルクなどドイツの主要都市で軍需工業労働者の反戦ストライキが始まる。参加者は全国で一〇〇万人を超えた。軍は強権的処置に訴える。民衆からは「戦争をやめろ！　腹ぺこだ！」というシュプレヒコール。もはや、反戦と反飢餓は目標として完全に一体化する。

こういった比較的目立ちやすいデモの背後で、ドイツ各都市では、無数の小さな食糧暴動も起こっていた。それはこれまでの奪い合いではなく、各地方自治体の庁舎で食糧の供出を訴えるものである。

こうした食糧暴動の政治的背景について、木村靖二は『兵士の革命――一九一六年ドイツ』（一九八八）のなかでつぎのように述べている。「配給の実施に際しては下位の自治体がいくつかがまとまって自治体組合を結成し、食糧の調達に努めたが、食糧の備蓄、配給

図17　軍需工場の女性労働者の反戦ストライキ。1918年１月（BL: 355）

量の調整、代替物の選択、配給価格などに、実情に応じた政治的判断を求められた。特に、配給が公平に行われているかは住民のもっとも強い関心の的であり、その点について住民の疑義を払拭できるだけの信頼を行政側が得ていたか、が決定的に重要であった。」行政が公平な配給を監視し、それを保証できる内実をもっているかが、住民の関心の的になっていくのである。「不平等選挙に基づく自治体議会の階級的性格は、こうしたなかで露呈される。」一九一七年四月、戦時食糧庁は、「各地の食糧配給機関に、同僚の信頼を集めている労働者、婦人の代表を参加させる必要を強調し、その実行を指示している」。

　ここで、食糧配分問題を基礎とした「代表制」の問題がクローズアップされる。戦争から革命にいたる道には、しばしば権力者への不信と「代表」の希求が存在するのである。「不平等選挙」とは三級選挙法《ドライクラッセンヴァールレヒト》のことである。これは、フリードリヒ・ヴィルヘルム四世治下のプロイセンで一八四九年五月三〇日に下院議員選挙のために制定され、一八五〇年の改訂憲法に取り入れられた間接選挙法である。各自治体で、全有権者をその納税累積額が等しくなるように三階級に分け、各階級からそれぞれ同数の議員を選出する。つまり、圧倒的多数を占める「下級」とごく少数の「上級」が同数の議員を選出するという選挙法であり、所得の多い地主や富裕層にきわめて有利であった。たとえば、一九〇八年の段階で「一級」に属するのは有権者のわずか四パーセントに過ぎず、反対に「三級」は八二パーセントを占めていた。

食糧問題は、一九世紀後半からこの三級選挙法に刻まれたプロイセンにおける法の下の不平等を顕在化させたのである。社会民主党は三級選挙法の撤廃を訴えてきたが、城内平和の締結はこの選挙法を何も変えることはなかった。しかし、一九一七年四月八日、ついに、ヴィルヘルム二世は、いわゆる「復活祭勅令《オスターボートシャフト》」で、保守勢力の反対を押し切り、この不平等選挙法の改革を約束した。アメリカの参戦、ロシアの二月革命の影響にくわえ、食糧状況の悪化が不平等選挙の改革に政府が踏み切った最大の理由であった。三級選挙法が撤廃されるまでには敗戦を待たねばならなかったにせよ、大戦中の食糧危機は選挙法改革の一因ともなったのである。

4 水兵たちの食事と革命

パンをめぐる闘争は、銃後と平行して、あるいは銃後と連絡を取りあいながら軍隊内でも激化していく。とくに、それは海軍でみられた。海軍の主力艦は、潜水艦の航路確保のための機雷除去や護衛などの役割を果たすだけで港に停泊していることが多かった。待機をすることが多い艦内では倦怠感が広がっており、兵士たちの不満は高まる一方であった。とりわけ食事に対する不満は大きかった。将校用の食堂ではしばしば様々な名目で宴会が開かれ、シャンパンやワインも飲まれた一方で、兵士たちの食堂では、虫入りのジャガイモや乾燥野菜、そして「カブラの冬」の時期には、乾燥ルタバガなどがたびたびのぼった。それゆえ、こうした食料の格差を一つの重要な原因とする抗議行動が頻発する。水兵たちの「伝声管」として海軍当局によって公式に新設された各艦の「糧食委員会 Managekommision」が運動の核となり、これがキール軍港での水兵の反乱の伏線となる。

三宅立の『ドイツ海軍の熱い夏——水兵たちと海軍将校団　一九一七年』(二〇〇一)は、一九一七年八月に起こった水兵たちの反乱を、日々の「胃の腑の悩み」から掘り起こしている(以下の内容は三宅による)。食料は軍隊内の階級差を最も反映するものであった。軍艦「ヘルゴラント」の一級水兵リヒャルト・シュトゥンプの日記(一九一五年五月末)にはつぎのように書かれてあった。「われわれが半分のパン配給量で我慢しなければならないのに、士官室では、六～七品もの料理が出る酒盛りが開かれる。」一九一六年五月上旬には、食糧庫に侵入した兵士がチーズやイワシ缶を盗む事件もみられた。まさに銃後で頻発していた「パンをめぐる闘争」が艦内でも起こっていたのである。

食をめぐる闘争の主体となったとは糧食委員会だった。一九一七年六月二〇日、艦内給養規定につぎのような規定が加わった。「兵士の給養に関するありうる苦情や要望を、給養委員会［糧食委員会のこと］の長たる副長に表明する。」一部の戦艦では、水兵自らが選出するシステムを備えていた。また、糧食委員会は、艦内の独立社会民主党組織ともいわれ、銃後の反戦・反体制活動と密接に連絡をとりながら闘争を進めた。なかでも、独立社会民主党の艦隊中枢であった中央糧食委員会は、戦艦「フリードリヒ大王」の糧食委員会であり、文字通り中枢として運動を統括した。

戦艦「摂政ルーイポルト」では、糧食委員会の規定に先駆けて自発的な「糧食委員会」が設立された。兵士たちは、一九一七年六月六日と同年七月一九日にハンガーストライキを起こす。このとき、自分たちはルタバガを食べているのに将校たちの皿には揚げたルタバガのみならずカツレツが盛られていることもあったと攻撃している。ハンガーストライキは他艦でも実施された。水兵たちが働かないと船が動かないからである。虫が浮かんだスープや虫だらけのジャガイモが、ハンガーストライキの発端になった。

以上のような水兵たちの抵抗は、一九一七年八月一日から二日にかけて決行された、戦艦「摂政ルーイトポルト」の上陸ストライキでクライマックスを迎える。発端は、水兵たちが楽しみにしていた映画上映会が軍事勤務に代えられたことであったが、これまでの食料の不平等に対する不満がここまで駆り立てたことは明白であった。雨の降るなか、碇泊していたヴィルヘルムスハーフェンに水兵たちは続々と上陸し、レストランで集会を開いた。この集会の演説でストライキの主導者は「戦争打倒」と叫んだ、という。しかし、結局、上官たちに連れ戻されるかたちで水兵たちは帰艦し、ストライキは失敗に終わった。それから一ヵ月もたたない八月二五日から二六日にかけて開かれた軍法会議で首謀者たちに死刑が言い渡され、そのうち幾人かが減刑されたのち、残りの水兵の死刑が執行された。

この事件の取り調べや裁判の過程で、水兵たちの日常の悲惨さや独立社会民主党とのつながりが明らかにされた。これは、一九一八年一一月三日のキール軍港における水兵たちの反乱、そしてドイツ革命へと直接つながっていく事件ではないにせよ、まさに革命の震源の一つが、食生活の不平等がとりわけ可視化された海軍に存在することを示すものだったのである。

第5章 飢饉からナチズムへ

「われわれはこのために闘っているのだ——われわれの子どもたちのパンのために!!」
1940年のナチスの戦意高揚を目的としたポスター（Trostel, S. 119）

1　終わり損ねた戦争

一九一七年五月一一日付のヒンデンブルク＊の書簡は、近々、第二の戦争が起こる可能性について言及している。イギリスは講和条約締結後にもう一度われわれに襲いかかろうとするから、そのことを覚悟せよ、と。そのためには、食料品と原料を、目下の戦争がつづく期間くらいは準備しておかなくてはならない。また、ドイツが新たに確保した領土における農業の再編成のためには、家畜、飼料、リン酸肥料、機械などの輸入は絶対に確保しなくてはならない。そのためには、講和条約によって、イギリスから船倉を確保しなければならない、とある。

戦争が終わる一年半も前にすでに第二次世界大戦を予言しているヒンデンブルクのこの言葉は、勝利のあとのことを話しているにもかかわらず暗いトーンを帯びている。ドイツが勝ったとしても、もう一度戦争がはじまる、というヒンデンブルクの感覚は、彼特有のものではなかっただろう。未曾有の消耗戦は、交戦国に憎悪を蓄積させる。しかも、その憎悪がもたらす次の戦争も消耗戦であり、食糧問題が鍵となることは、ヒンデンブルクのみならず、多くの民衆が感じていたことではないだろうか。

ドイツの敗戦という史実に照らし合わせてみても、ヒンデンブルクの暗い予

＊**パウル・フォン・ヒンデンブルク**　一八四七〜一九三四年。ドイツの軍人、保守派の政治家。一九一四年八月下旬のタンネンベルクの戦いでロシア軍に大勝し、国民的英雄に。一九一六年八月に参謀総長。敗戦後退役し、一九二五年から三四年まで大統領を務めた。

言は示唆的である。この戦争に終止符を打つことは極めて困難なのである。この負のスパイラル構造をまとめればこうなる。総力戦は、戦争を長びかせ、日常にも拡張するから、人々の心に沈殿する憎悪もそれにしたがって増大する。この憎悪は新たな戦争を生むことを期待させ、あるいは予想させるから、旧交戦国はまた防衛の準備をはじめる。そのためには、大戦の経験からして食糧を確保しなくてはならない。食糧はある程度は穀物生産国から貿易によって購入できるが、やはり経済圏のようなものを作って、できるだけ安価にかつ安全に食糧を入手できるようにする必要がある。すると、勢力圏をめぐって再び各国がしのぎを削るようになる——。

この意味で、大戦は、終わり損ねた戦争であった。ヒンデンブルクが前提として考えていた憎悪は、講和条約で処理されることなく、むしろそれを煽り立てた。食料と肥料を確保さえしていれば勝てたかもしれない、という悔悟は、その衝撃があまりにも強かったために、忘れ去られることはなかった。

ヴァイマル共和国においてもこの衝撃は持続された。一九一九年八月一一日に国民議会で可決されたヴァイマル憲法（正式には「一九一九年八月一一日のドイツ国憲法」）では、国民主権が謳われ、法の下の平等という原則のもと、社会的人権の保障、生存権が条文化され、三級選挙法も正式に廃止され、代わりに完全な普通、平等、直接、秘密選挙が導入された。すでに一九一七年一〇月に三級選挙法の廃止がヴィルヘルム二世によって約束されたことは述べたが、これがヴァイマル憲法によってようやく実現したのである。食糧配給を統括する政府に対する不信、議会が自分たちの代表ではないという失望は、もちろんヴァイマル憲法の直接的な原因ではないが、その国民が憲法を受け入れる環境を生み出したことは間違いないだろう。

とはいえ、すぐに食糧生産力が回復したわけではなかった。すでに述べたように、配給制は一九二二年までつづいた。戦時期に設立された戦時食糧庁は一九一九年三月二一日に食糧農業省に昇格し、名称を変えながら現在までつづいている。大戦期に登場した国家による食糧の統制は、二度の敗戦によっても途切れることはなかった。学者たちの議論も盛んになった。すでに引用したエーレボーやスカルヴァイトは、戦間期に、「豚殺し」や「カブラの冬」をもたらした学者たちや官僚たちを批判し、ヴァイマル共和国における食糧の安定的供給を目指す方法をそれぞれの立場で考えた。貿易の促進による隣国との協調という路線と、自給自足を目指すべきだという路線でしばしば意見が戦わされた。

自給自足を目指すことが党派を超えて半ば共有されていたにもかかわらず、自由貿易主義と保護主義のはざまで、ヴァイマル共和国政府は、最後まで明確な食糧政策目標を立てることはなかった。そして、一九二〇年代半ばには農業生産力が戦前の基準に回復し、民衆の生活も安定しはじめ、旧対戦国との関係も外交上は徐々に改善したことから、食糧政策の議論は影を潜めていく。こうした趨勢のなかで、飢饉の反省を最も厳しく、しかも強烈な憎悪とともに内面化したのがナチズムであった。

飢饉とナチスを結ぶ線は、農業史の分野ではナチ農政との関係で繰り返し指摘されてきたが、ナチズム研究においてはまだ共有された認識ではない。大戦がナチズムのゆりかごであったことは、歴史研究者たちによって一定の合意を得ているとはいえ、それはナチ党員や党の支持者たちの戦争体験との関係が主なものであった。しかし、これから述べていくように、あの飢餓体験はナチ農政のみならずナチズムそのものの誕生を語るうえで欠かせない要素だったのである。

2　連鎖する憎悪——「匕首伝説」の誕生

一九一四年一一月、ドイツのレストランでフランス語のメニューを使わないよう呼びかけるキャンペーンが繰り広げられた。主体となったのは「一般ドイツ言語協会」である。その発行した『ドイツ献立表』では、ディネ・ア・パール dîner à part の代わりに「一品料理 Einzelessen」もしくは「特別料理 Sonderessen」、マヨネーズのかわりに「酢入り油汁 sauer Ölguß」、ラグーの代わりに「香辛料肉 Würzfleisch」もしくは「混ぜもの料理 Mischgericht」という言葉が推奨された。

しかし、敵国への憎悪も、この程度ならまだ沈静化できたかもしれない。ドイツ人の憎悪は、むしろ戦後に増幅していく。本書の冒頭で述べたように、連合国は、休戦後も半年にわたって経済封鎖を続けた。食糧危機は終わらなかった。戦闘は終わったにもかかわらず、もともと武装していない民衆たちの戦争は継続されたのである。この背景には、ドイツ軍にさんざん苦しめられた連合国、とりわけ連合軍総司令官フォッシュの憎悪があった。彼の憎悪は、ドイツ兵のみならず、ドイツそのものに向けられたのである。

これは、ナチ農政の研究者であるコルニとギースの言葉を借りれば「封鎖シンドローム」もしくは「トラウマ」をドイツにもたらした。経済封鎖をされれば、どれほど科学技術力と経済力と軍事力を有していようとも、その住民の生命が簡単に脅かされる、という人間本性を突く恐怖感が、ドイツ人の、とくに飢饉をもっとも激しく体験した都市の労働者たちの心を巣くったのである。

こうしたなかで、ドイツ人の憎悪は、フランスやイギリスよりも、なぜか国内の敵であるユダヤ人と社会主義者に向けられるようになる。戦場での戦いは勇敢であるとして美化された一方で、銃後の革命は「裏切り」であり、卑怯な行為とされたからである。ヒトラーは、『我が闘争』の続刊として出版を予定していたが自身でそれを禁じた『第二の書』で、かつての敵の兵士となら和解できるが、裏切り者とはそれはできないと述べている。戦闘では勝っていたのに、国際的なネットワークを有するユダヤ人と社会主義者が共謀して革命を起こしたために敗北したという「背後からの一突き伝説」（匕首伝説）である。ドイツの民族主義者たちを魅了したこの伝説の生成には、戦時中の「ユダヤ人センサス《ユーデンツェールング》」が大きな役割を果たした。ユダヤ人センサスは、一九一六年一〇月一一日にプロイセン陸軍大臣ヴィルト・フォン・ホーエンボルンによって発令された。ユダヤ人が様々な口実を設けて前線勤務や後方勤務を忌避しているという噂があり、その真実を確かめるために、一一月一日に陸軍各部署で調査を行なうというものであった。在ドイツ・ユダヤ人は、多くのユダヤ人が祖国ドイツのために戦死しているとして抗議した。だが、この「ユダヤ人＝ドイツの敵」という図式は、すでに一九一五年頃から営農家同盟や民族主義団体が主張してきた根深いものであり、一定の影響力を持った。ユダヤ人センサスは、のちの「背後からの一突き伝説」の支流の一つである。

　ここで本書の視点からして重要なのは、このセンサスが食糧不足が深刻化した時期になされていることである。というのも、一九二六年に出版された『我が闘争』下巻の最終章「権利としての正当防衛」のなかで、ヒトラーは次のように述べているからだ。「一方ではあからさまな祖国に対する［ユダヤ人たちの］反逆が恥知らずにも姿を現しているのに、他方では民族が経済的には徐々に餓死の運命に追いやられていたこの時期ほど、そのような解決［現在支配的な組織をすべて片付けること］に向けて機が熟していた時代は一度としてなかった。いやそれどころか、当時ほど時代が支配者のようにその解決を求めて叫んでいた時代はなかったのである。」自分自身を「大戦の子」と呼び、「一兵卒」

として戦ったことを誇りに思っていたヒトラーは、「餓死」に追いやられたドイツの民衆を哀れみ、その銃後を混乱させ「祖国を裏切った」ユダヤ人やユダヤ人が背後で操っているとされるマルクス主義者たちを断罪することで、「背後からの一突き伝説」を説明しているのである。この論調は、『我が闘争』全編をつらぬいている。

こうした極度の被害妄想は、ヒンデンブルクのもとで参謀次長を務めたエーリッヒ・ルーデンドルフ*になるとさらに露骨に現れてくる。ルーデンドルフは、晩年の『総力戦《デア・トターレ・クリーク》』（一九三六）でつぎのように述べている――。ドイツの敗戦は、ユダヤ、ローマカトリック教徒、フリーメイソン、国際金融資本の陰謀のせいだ。かれらがこっそり軍隊で、そして国民のあいだで扇動していたからだ。人々の精神が衰えたのは、海上封鎖や敵国の扇動のためではない。国内の不穏分子のせいだ。人間は働くにせよ、戦うにせよ、生命を保つことが必要だ。私は大戦時、馬の腹を満たすために飼料に木くずを混ぜたこともある。私は食糧確保のためにも頑張った。ルーマニアの宣戦後、ワラキアまで攻めようとしたのも、一九一八年に東方戦線をウクライナまで拡大したのも、この私だ。おかげで同盟諸国の給養状態は改善したが、ドイツの民衆を完全に救うことはできなかった。戦前、食料輸入に頼っていたから、食糧供給が困難になったのは当然である。人と馬と肥料が不足したので、収穫が減った。だが、軍隊の機械化で馬の徴発は減り、窒素肥料の工業化で多量の窒素肥料を農業に利用でき

エーリッヒ・ルーデンドルフ　一八六五〜一九三七年。ドイツの軍人。ポーランドの貧しい地主の家に生まれた。タンネンベルクの戦いでの功績を認められ、一九一六年八月に参謀次長に就任し、ヒンデンブルクのもとで戦争を指導した。一九一八年一一月に、スウェーデンに亡命。一九二三年にはヒトラーのミュンヒェン一揆に加わり、一九二四年から二八年までナチ党の国会議員となった。

るようになった。これも私が奨励したのである。それから、豚殺しは愚策だった。自己の利ばかり考え、全体の害を考えなかったものがいたために、国民のあいだに不満が生まれ、国民の団結が危機状態に陥ったのだ。

　事実上の戦争指導者であったルーデンドルフがどれほど自己中心主義で、どれほど深くユダヤ人陰謀史観にとらわれていたか、この書を一読すれば明らかである。食糧危機に関して、責任を取る気がまるでない。むしろ、自分は、食糧危機を克服するために努力したのだと主張しているのである。ヒトラーにせよ、ルーデンドルフにせよ、銃後の飢饉の問題に関しては驚くほど言及されておらず、分析も少ないが、飢えたドイツ人と豊かなユダヤ人という二項図式はゆるがない。

3　ナチスによる飢饉の総括

（1）　ナチスの反飢餓ポスター

では、ナチスは、どのように、「カブラの冬」に代表される大戦期の飢饉を総括したのだろうか。

　ヒトラーの飢饉への言及は、『我が闘争』には上記の箇所でしかみられない。しかし、ナチスは、ヴァイマル共和国期の選挙においてこの飢饉の記憶を巧みに利用した。

まず、ウルムにあるドイツパン博物館が出版した、パンを主題とした政治ポスター・コレクションの図版『スローガンとしてのパン――二〇世紀の政治ポスター』（一九九七）から、二枚の選挙ポスターをみてみよう。

図18は、「飢餓と絶望に対抗せよ！　ヒトラーを選べ」と書かれた一九三二年の大統領選挙のときのポスターである。この当時、一九二九年一〇月にニューヨークから世界に波及した恐慌の影響で、ドイツの失業者五六〇万人、失業率も三〇パーセントを超えた。とくに都市下層において生活への不安が高まるなか、ナチスは大戦期の飢餓の記憶を呼び覚まそうとしている。そして、あの飢餓に対抗できるのはヒトラーだけであると訴えているのである。

図19は、「僕たちを飢えさせないで！　飢餓と寒さに対する闘争に身を捧げよ」（一九三三）と書かれた冬季救済事業への参加を呼びかけるポスターである。冬季救済事業とは、失業者たちに食事や毛布を配ったり、失業者や母親を援助するために募金をしたりする運動で、ナチ党はすでに政権を獲得する以前から組織的に行なってい

図18　飢餓と絶望に対抗せよ！　ヒトラーを選べ（Trostel, S. 87）

図19　僕たちを飢えさせないで！　飢餓と寒さに対する闘争に身を捧げよ（Trostel, S. 97）

た。一九三三年一〇月からは、一〇月から三月までの第一日曜日に、全国民が雑炊料理《アイントップフ》を食べることを強制し、各家庭で浮いた食費を救済事業に回すという運動も開始された。このポスターでも、大戦期の経験を巧みに引用している。すでに述べたように、銃後における大戦の最大の犠牲者は子どもたちだったからである。ほかにも、飢餓の恐怖を煽るプロパガンダは多数みられた。その多くが、子どもと女性を描いていることはやはり注目すべきであろう。ナチスは、そのプロパガンダのうえでは、大戦の最大の被害者が誰だったのかを正しくとらえていたのである。

ヒトラーが『我が闘争』でナチズムの重要な課題として「パンをめぐる闘争」を取り上げていることからもわかるように、世界恐慌期の日々のパンへの不安がナチ党を政権の座に押し上げる。一五年ほど前の飢饉を体験した民衆にとって、飢餓からの解放というスローガンは、それぞれの体験の度合いに応じて、重みを持って受けとめられたに違いない。

もちろん、『スローガンとしてのパン』にもあるとおり、ナチ党以外の政党も飢餓を扱っている。とりわけ共産党は、世界恐慌期、「労働者にパンを」というようなスローガンで、ナチ党とともに票を伸ばした。だがやはり、どちらかというと男性の労働者が登場することが多い共産党に比べ、ナチスがしばしば女性と子どもにスポットを当てたことは大きかったに違いない。弱き者を守るというナチスのダイレクトなメッセージのほうが、大戦を経験した投票者には響いたのではないだろうか。

（2）『豚殺し』と『食糧戦争』

ナチスは、大戦を総括するにあたって、しばしばあの「豚殺し」を取り上げた。この典型としては、リヒャルト・ヴァルター・ダレー*の『豚殺し』（一九三七）を取り上げるのがもっともふさわしいだろう。

在アルゼンチン・ドイツ人だったダレーは、ドイツ軍の志願兵として大戦に従軍した。戦後、ハレ大学で家畜の育種学を学び、その後、人種主義的な農本主義者として論文や本を書くようになる。これにヒトラーが目をつけて、ダレーをナチ党農政局の局長に据えた。一九三三年六月以降は、ナチ農業・食糧政策の統括者として君臨する人物である。

その彼が一九三七年に出版した『豚殺し』の論旨は単純である――。大戦は、「一つの民族の基盤が戦闘行為によってよりはむしろ食糧供給の側から掘り崩されうる」ということを示した。この事実からすれば、食糧経済の重要性は、国家政策的に明らかである。ゆえに、大戦期の食糧政策の失敗、とくに「豚殺し」を検討する必要がある。その検討というのは、政策や構造の批判だけではなく、「豚殺し」に関わった人物たちの出自に光を当てることだ。

ダレーは、これを唱えた学者たちのなかにユダヤ人が多数いたとして、一人ひとりの出自を調べ上げ、場合によっては生物学的特徴がわかるような写真ま

リヒャルト・ヴァルター・ダレー　一八九五～一九五三年。ナチス・ドイツの食糧農業大臣。ブエノスアイレス生まれ。ナチ党の農村進出の原動力であり、初期ナチ農政は、すべて彼の「血と土の思想」が反映されている。一九三六年以降、事実上、食糧・農業関係の権力はバッケ（後出）に移行したが、形式的には一九四二年五月に病気という理由で引退。シュタイナーが唱えたバイオダイナミック農業という有機農業に強い関心を持ち、戦後は有機農業運動に身を投じた。

で掲載して、「罪のない母親や子どもたち、あるいは障害のある老人を含む七五万人のドイツ人の同胞」を餓死させた責任をユダヤ人に押しつけた。豚肉食をタブーとしているユダヤ教徒は、森に豚を放ち、そこで肥えさせて、冬になる前につぶすゲルマン人の豚への愛着を理解しない、と論じたのである。

イギリスとの同盟を考えていたヒトラーと同様、ダレーにおいても、海上封鎖を行なったイギリスへの憎悪はそれほど強くない。飢饉の総括を最も包括的かつ冷静に行なっているヴァルター・ハーンの『食糧戦争』（一九三九）は、むしろ、イギリスを褒めてさえいる。ハーンはつぎのように述べている。「戦争では単純なもののみが勝利をもたらす」という格言がある。だが、世界大戦中はあまりにも理念が多すぎた。ドイツは、捕虜に畑を耕作させるのではなく沼地を開墾させた。フリードリヒ・エーレボーも言っているとおり、これでは意味がない。簡単なもの、手近なもの、試験済みのものが戦時にあっては食糧に必要な影響を及ぼす。大戦中、イギリス人は、「業務は平常通り business as usual」という根本原理によって行動し、多くのものが次第に国営化されていくなかでも、平時の軌道を外すことなく生活をつづけた。

ハーンは、ドイツ国防軍の予備大尉であり、ベルリン食糧経済研究所の「共同研究」のリーダーであった。武力による勝利の見通しがなくなった段階で、両陣営とも兵糧攻めにシフトしたのだが、この点、「海の同盟国」が「陸の同盟国」よりも優勢であった、と彼は当時を振り返っている。今後の戦争は「自己の糧道を防衛し、敵の糧道を攻撃する」戦争、つまり「食糧戦争」となるのであり、これに向けて準備を整えなくてはならない、というのである。

では、「食糧戦争」を戦うために必要なことは何か。この答えとして、ナチ時代の農政の「第二の男」であり、一九三六年以降、食糧政策の中枢を担っていくヘルベルト・バッケ*は、その著作『ヨーロッパの食糧の自由をめぐって——世界経済か広域経済か』（一九四二）でつぎのように述べている——。大戦は、ドイツ人にとって「厳しい学校」であった。あの飢饉は、リベラリズムの弱点をさらけ出した。これからは貿易に頼るのではなく、食糧自給を考えなくてはならない。そこでバッケが提案するのが食糧自給圏としての「広域経済圏《グロースラウム》」である。ナチスが戦争で勝ち取った占領地域を統合して一つの経済圏を作り上げ、そこで食糧の自給自足を達成する、というわけである。イギリスのような「海の経済圏」ではなく、「陸の経済圏」で対抗せよ、というのが結論である。のちに述べるように、この「広域経済圏」は、広くナチスによって共有されてきた構想であり、これを軸に第二次世界大戦と占領地運営が進められていくのである。

ヘルベルト・バッケ 一八九六〜一九四七年。グルジアの都市バトゥミ生まれ。ドイツ系商人の子。一九一四年、敵国人としてウラルに抑留。一九一八年六月、ドイツへ脱出。一九二〇年からゲッティンゲン大学で農学を学ぶ。一九三六年から実質上の食糧農業政策の指導者に、一九四四年に正式に食糧農業大臣。合理主義者で、反リベラリズムを訴え続けた。ロシアの農業経済にも詳しい。一九四七年に自殺。

4　大戦が生んだナチスの食糧政策

では、以上のような大戦の総括と今後の展望を持ちながら、ナチ党は食糧政策をどのように展開していくのか。

食糧・農業政策の責任者であるダレーは、「封鎖シンドローム」を克服すべく、農業保護・食糧自給の方向へと舵を切った。ダレーが実質的な権力を失い、その部下であったバッケに移っていく一九三六年九月の「第二次四ヵ年計画*」以降においても、この方針は基本的に変更されなかった。

ダレーとその後進たちの農業政策が、一定の成功を収めたことはすでに農業史研究者たちによって繰り返し述べられている。一九四〇年、第二次世界大戦が始まって一年後、ダレーのブレーンであったヘルマン・ライシュレ*は、『ドイツを兵糧攻めすることができるか?』と、幾分挑発的なタイトルの書物を出版するが、これは何ら強がりではなかった。大戦時の反省はしっかり生かされていることを、ライシュレは統計資料を用いて説明した。とりわけ、大戦期に深刻な不足に陥った油脂と穀物に関しては、ドイツ国内にかぎってみれば一九四四年の夏まで食糧供給は維持された（もちろん、占領地からの食糧強制調達の事実は見逃すことができないが）。第二次世界大戦時は、第一次世界大戦期のように大量の餓死者がでることはなかった。

ナチ農政の特徴は、一言でいえば、食品の生産・流通・消費を準戦時体制化することである。といっても、ソ連のように集団化を選ぶことは反マルクス主義のナチスにとっては許されないことであり、ダレーのよく用いる言葉である農民の「自主性」および「創造性」を前面に押し出す必要があった。

第二次四ヵ年計画 第二次四ヵ年計画は、一九三六年九月九日にニュルンベルクの党大会で宣言された経済計画。自給自足を訴えた。戦争に耐えうる国家を作るというヒトラーの秘密指令による。この計画の責任者はヘルマン・ゲーリングで、農業部門の責任者はダレーではなく、バッケであった。ちなみに一九三三年に始まった第一次四ヵ年計画は失業者救済が主な目的であった。

ヘルマン・ライシュレ 一八九八〜不明。彼についての詳しいことは分かっていないが、帝国農民指導者（ダレーのこと）直属企画部指導者という肩書きをもつ農政の専門家であった。

図20　農民よ、きみは生産戦の兵士だ

第一に、生産。各農業経営の自主性を重んじるという体面をとるため「生産戦《エアツオイグングスシュラハト》」というキャンペーンを行ない、技術的改良および増産のモチベーションを高めるとともに、農場カード《ホーフカルテ》の導入や直接見回り制度によって国家が一元的に農業生産状況を管理するシステムを作り上げた。さらに、軍需工業の活発化による農業労働力の不足に押されるかたちで、一九三六年三月には肥料価格をこれまでより二五〜三〇パーセント、一九三八年には農業機械価格を二〇〜三〇パーセント値下げし、農業経営の近代化をねらった。図20は生産戦のポスターである。二人の農民がトラクターに乗って「BLOCKADE（封鎖）」と書かれた岩壁を突き破ろうとしている絵で、「農民よ、きみは生産戦の兵士だ」という言葉が書き添えられている。すでに敗戦から一六、七年たったナチ時代においてさえ、封鎖シンドロームが色濃く現れていることは、やはり注目に値するだろう。結果として、農業生産高は、一九三二／三三経済年から一九三八／三九経済年のあいだに一〇パーセント上昇したが、食料自給率は一九三三年から三九年までに数パーセント上昇するにとどまり、一九三九年段階の食料自給率は、八五パーセント足らずであった。目標の一〇〇パーセントには到達しなかったとはいえ、それなりの前進はみられたのである。

第二に、流通。一九三三年九月二六日の穀物価格調整法で、ライ麦と小麦の最低生産者価格を定め、一九三四年六月二七日の穀物経済秩序法によって穀物供出義務を農業経営に課し、同年七月一四日の穀物経済統制法で穀物市場が組織化された。ただし、供出はソ連のように毎回国家に直接納めるのではなく、固定価格でそれぞれの商品専門の商人に売り渡す自由が認められた。また、食品流通業者も帝国給養身分団という農業組織にまとめられ、国家の干渉を受けることになった。

第三に、消費。ナチスの消費政策は、まさに大戦期の経験を生かしたものであった。たとえば、一九三六年七月から始まる「無駄なくせ闘争《カンプフ・デン・フェアデルプ》」は、購入したあとの食品を腐敗、凍結、虫害、ネズミから守り、国民経済的損失をなくす運動である。台所を清潔に保つことが国家の女性組織を通して各々の主婦に要請された。それから、「食糧生産援助事業《エアネールンクスヒルフスヴェルク》」も、大戦の産物である。これは、各台所の生ゴミを半ば強制的に収集し、その生ゴミを飼料として、公営の養豚所や政府が指定した農家で豚を飼うものである。人間の食べるジャガイモを豚の飼料にまわした苦い経験の反省が生きているのみならず、飼料不足から大戦中に試みられてきたことを制度化しているのである。

以上のように、生産、流通、消費を、ある程度農民や主婦の自主性を損なわせないようにして制御するナチスの食糧政策は、大戦の反省から生まれたのである。

しかし、すでに述べたように、ナチスは国内食糧自給を達成することができないまま、第二次世界大戦に突入する。そこで登場したのが、バッケも述べていたあの「広域経済圏」構想であった。世界恐慌によって、イギリスやアメリカは自国とその植民地のなかに独自の経済ブロックを作り上げたのに対抗して、ドイツもヨーロッパ大陸内で自給経済圏を作り上げる、というものである。だが、こうした構想もまた第一次世界大戦の落とし子だったのである（以下、とくに、フリッツ・フィッシャー*の『世界強国への道』〈一九六七年版〉を参考にした）。

一九一四年九月、首相ベートマン・ホルヴェークは「九月綱領」を対仏講和用に作成した。正式の戦争目的を語った文書だが、戦局の変化ゆえにお蔵入りにされたものである。ロシアを東方に追い戻し、ルクセンブルクをドイツ内の連邦国家にし、フランス、ベルギー、オランダ、デンマーク、オーストリア・ハンガリー、ポーランド、イタリア、スウェーデン、ノルウェーを含む一般関税協定を軸に、中欧にドイツ指導下の「経済圏」を作る、というものである。これは、戦前の経済界、政界、軍部のもっていた「代表的理念」であった。

こうした理念に、次第に、ドイツ人の農業移民という目的が加わっていく。その調査をベートマン・ホルヴェークから委託されたのが、シュヴェーリン*と、

フリッツ・フィッシャー　一九〇八～一九九九年。ドイツの歴史家。その主著『世界強国への道』（一九六一）でドイツは大戦に巻き込まれたのではなく、明確な戦争目的をもっており、戦争を導いた責任があると主張、有名な「フィッシャー論争」を招いた。

フリードリヒ・ヴィルヘルム・フリードリヒ・フォン・シュヴェーリン　一八六二～一九二五年。プロイセンの高級官僚。当時、フランクフルト・アン・デア・オーダーの県知事。民族主義的信念の持ち主で、内地植民についての著作もある。

彼が創設した「国内植民促進協会」である。会長はシュヴェーリンで、保守主義の農政学者マックス・ゼーリング*が副会長であった。一九一五年三月、シュヴェーリンは、一九一四年から一五年にかけて行なった調査をもとに、東部国境地方に新移住地を創設することに関する厖大な覚書を作成する。これは、支配民族であるドイツ人に、十分生きていけるだけの広大な農民移住地を与えるというものだ。ドイツ人には、ヨーロッパ各地に移住している在外ドイツ人も含まれる。ゼーリングも、一九一五年九月に占領地の調査の委託を受け、その報告書で、「健康な人間を育てることができるゆえに」植民が必要だとし、ドイツが世界強国になるためには、その移住圏と経済圏の拡大が必要不可欠だと主張していた。この基本理念は、一九四二年にナチスが作成した「東部総合計画《ゲネラールプラン・オスト》」に受け継がれていく。一〇〇〇万人規模の「ユダヤ人」や「ポーランド人」などの現地住民を追い出し、あるいは奴隷として労働に従事させつつ、空いた土地にドイツ人農民を移住させ、「東方大ゲルマン帝国」を樹立するという計画である。アーリア人種のユートピアを作ろうという夢想のみならず、人口が増えても安心な食糧基地を確保するという大戦以来の悲願が、このナチスの計画の背景に存在していたのである。ここには、もちろん、第一次世界大戦時、ロシアとのブレスト・リトフスク条約*で手にいれながら、ヴェルサイユ条約で失ったウクライナの幻影がある。フィッシャーによれば、すでに大戦期に、広大な穀倉地帯を有するウクライナの社会主義農業を改善し、大

マックス・ゼーリング
一八五七〜一九三九年。帝政期からヴァイマル時代を代表する経済学者で農政学者。ベルリン大学の教授。ナチ時代には、土地を担保にすることを禁止した世襲農場法を批判したため、ダレーによって「ユダヤの血が入った学者」「豚殺しへの参与者」と攻撃された。

ブレスト・リトフスク条約
ブレスト・リトフスク条約は、一九一八年三月三日、現在のブレストでソ連とドイツおよびその同盟国との間に結ばれた単独講和条約。十月革命後、ソヴィエトはドイツに休戦を呼びかけ、実現。これによりソヴィエト政権はバルト地方、白ロシア、ウクライナの大半を失うことになった。

農に農業を経営させ、食糧基地を建設するというプランがあったという。だが、農業生産機構を整えることができなかったので、ドイツを飢饉から脱出させることはできなかった。とはいえ、ここにも、大戦がナチズムに残した遺産が存在するのである。

最終的には、この東部総合計画は部分的に実行されるにとどまったが、ポーランドの村では、親衛隊や国防軍が銃を突きつけて村民をすべて村から追い出すことが頻繁に起こった。しかも、一九四三年末になると戦況が思わしくなくなり、国内でも食糧生産量が減少し始めると、バッケは占領地の強制調達のみならず、「飢餓政策 Hungerpolitik」へと移行しはじめる。つまり、ユダヤ人やポーランド人への食糧供給量を減らして餓死させ、ドイツ人の食糧状況を改善させる、というものである（このあたりのバッケの言動に関しては、ゲジーネ・ゲルハルトの論文「食糧とジェノサイド――ソ連占領地におけるナチ農業政策」に詳しい）。ここで私が重要だと思うのは、この飢餓政策は、結局イギリスが大戦中に行なった海上封鎖による兵糧攻めの応用だったことである。たしかに、目的も戦術も異なるが、飢餓を政治の道具とすることで生じたナチスの空前絶後の暴力は、イギリスが、長期間にわたって民間人をゆっくりと飢えさせ、死なせたことと基本的に同質である。イギリスは間違いなく、食糧テロリズムという点でパンドラの箱を開けたのである。しばしば「アウシュヴィッツ以後」という言葉が使われるが、暴力の質の変化という点からして、あるいはナチスのホロコーストが食糧不足問題と密接に関わっていたことからしても、「海上封鎖以後」という時代の区切り方のほうが正確ではないだろうか。

おわりに――ドイツの飢饉の歴史的位置

1　交戦国の食糧状況概観

以上、日本におけるドイツの飢餓の受容からはじまり、大戦期のドイツの飢饉の原因と実態、日常生活の変化、行政の介入、そして民衆の政治への目覚め、さらにはナチズムへの連続性を見てきた。ここでは、まず、各国の食糧状況を概観して比較の視座を得たうえで、「カブラの冬」に代表されるドイツの飢饉の歴史的位置づけをまとめてみたい。

当時、食糧問題に直面したのはドイツだけではなかった。ほとんどすべての主要交戦国が食糧不足に苦しんだ。開戦まで、どの国も、長期戦に対応できるだけの食糧政策を進めてこなかったからである。ここでは、ドイツの『第一次世界大戦百科事典』を参考に、主要交戦国の食糧事情を概観して、ドイツの飢饉の歴史的布置を考察する材料としたい。

イギリスは、植民地および英国連邦構成諸国、とりわけカナダやオーストラリアとの密接な関係を基盤として食糧政策を設計していた。ゆえに、一九一六年末までは、食糧供給の状況は悪化しなかった。海上封鎖に対するドイツ側の対抗措置（無制限潜水艦作戦）にもかかわらず、国内需要の六〇パーセントを担う海外からの輸入を維持することができた。国内生産力も、国外からの生産資材の投入に支えられて、大きく減少することがなかった。ただ、食料品価格は上昇した。一九一六年六月、食料価格全般の指数は、一九一四年八月のそれより六一パーセントも上昇した。

一九一六年の不作によって、この年の一〇月、王立小麦供給委員会が招集された。だが、この委員会は、輸入量の調整を決定するにとどまり実質的な効果をもたらすことはなかった。しかし、一九一六年に首相になったロイド・ジョージのもと、ようやく「食糧供給」が最も重要な政治的課題として日程に上る。一九一六年一二月、食糧管理局が設立される（のちに食糧省に昇格）。これは食料の輸入、生産、分配の管理を任務とする国家機関であった。だが、イギリスの港へ入港する商船へのドイツによる無制限潜水艦攻撃によって、食料輸入量は戦前の約三分の一に落ち込んだ。そこで、家畜の放牧地を耕作地に転換する政策が打ち出された。一九一八年には、三〇〇万ヘクタールが耕地になった。一九一八年には、イギリスのジャガイモおよび肉類の生産は、戦前の約一・四倍に上昇した。一九一六年には、前年の耕作地面積から一四万八〇〇〇エーカーも減少したが、一九一七年には、九七万五〇〇〇エーカーを新たに耕作地にすることができたのも、国家の介入があったからである。

一九一八年七月には、すべての消費者に向けてすべての食料品に対する配給制が導入された。一九一七年夏には、重要食料品のみ、最高価格を設定した。一九一八年二月に、ロンドンの警察が、五五万人の人々が食糧配給の行列に並んでいると報告。餓死者は出ず、密商も出現しなかったとはいえ、飢えは戦時イギリスにおいても厳しい現実であった。戦後、戦時中の国家介入政策はいったん解かれたが、世界恐慌期に復活する。

フランスの損害はイギリスより甚大であった。開戦直後、国内食料生産量は戦前の四〇パーセントにまで激減する。ドイツが重要な東北地方の農業地帯を占領し、生産手段（肥料、農業機械、役畜）が減少したためである。それゆえ、フランス政府は、海外からの輸入を決断する。毎月、カナダとアメリカから六三万九〇〇〇トンの食料品を輸入した。しかしながら、文民の食料調達は価格上昇によってより困難になった。一九一六年には最高価格が固定された。

第三共和制は周知のように脆弱な行政であったが、一九一七年一一月のジョルジュ・クレマンソー*の登場によって、行政の権威が復活を遂げる。フランスがとりわけ苦しんだのは石炭である。一九一四年八月に大敗を喫し、ドイツ軍がリール地方を占領したとき、フランスが生産する石炭の四〇パーセントが喪

ジョルジュ・クレマンソー 一八四一〜一九二九年。一九一七年一一月にフランスの首相になってから、敗戦色の濃厚だったフランスを建て直した。のちのパリ講和会議議長で、厳しい対独強硬論を貫いた。

失した。こうしたなかでフランスは、イギリスとアメリカからの輸入に頼る。だが、フランスは一度としてイギリスやドイツのような厳格な配給制を導入しなかった。一九一六年四月二〇日の法律で、砂糖、ジャガイモ、牛乳、マーガリン、乾燥野菜の価格固定を禁止した。一九一七年には、パンと砂糖の配給制を導入した。肉、卵、ワイン消費の制限も行なう。政府は、パンを無駄にするな、代用食としてジャガイモやレンズ豆を食べよ、と奨励したが、効果はほとんどなかった。とはいえ、実は、戦時中、食物の消費量は増えている。これは、連合国からの援助のおかげであった。密商も闇市も最後まで出現しなかった。

ロシアの食糧政策は、交戦国中最も杜撰であった。食糧分野では、全く戦争の準備をしていなかった。これが、民衆が革命に参加した最も大きな原因の一つである。政府は、軍隊に十分な食糧を行き渡らせるよう、統制されていない市場で可能な限り（全市場流出量の半分）買い込んだ。民衆は、その残りを跳ね上がった価格で購入しなくてはならなくなる。さらに、運河や鉄道など交通網が壊滅状態になり、食料は行き渡らない。一九一六年二月、ロシア政府は、大商人のために最高価格を導入。大規模生産者や商人たちは、消費者の利益よりも自分たちの利益を主張した。こうした不平等な食糧分配が、民衆から政府の信用を奪っていったのである。一九一七年初頭の全体計画によって、ようやく、バランスのとれた配給制度と最高価格制度が個々の行政区で導入される。これが、ロシア政府が事実上初めて行なった食糧政策であった。しかし、これはあまりにも遅すぎた。このような状況のもとで、パン、平和、自由を求める「飢餓の革命」が進行するのである。

他国より遅れて参戦し、領土が戦場にならなかったアメリカは深刻な食糧問題に直面することはなかった。ただ、大戦中にフーヴァーを長官とする食糧管理庁が誕生し、部分的ではあれ食糧分野への国家介入がみられたことは重要である。とはいえ、基本的には愛国心に訴え、自発性に基づく食糧管理ができた。配給制度も敷かれなかった。戦後はカナダとともに、食糧生産量を上昇させ、世界の食糧生産を牽引していくことになる。

イタリアは、一九一六年三月以降、重要農産物に対し最高価格を導入した。その後、国家介入が強力になる。最終的には、海外からの輸入に頼った。そのさい、とくにイギリスに頼らざるをえなかった。一九一七年の夏、とりわけひどい不作によって、全般的食料配給制が導入された。しかし、同年八月頃に、工業都市トリノで民衆、とりわけ女性たちがパンを求めて暴動を起こした。この社会的プロテストのなかから、戦争から離脱せよという政治的主張も登場する。警察と軍隊は、この暴動を武力で鎮圧し、五〇名の死者がでたほどだ。一九一七年一〇月の終わり、カポレットの戦いでの敗北のあと、クレスピ*が国家の食料供給委員になる。彼は、一九一八年四月に、生産管理のためのネットワークを築き、配給制を整備、食料の生産および消費の国家管理に成功した。また、闇商人を反愛国者として摘発するキャンペーンも実施。戦争が終わるまで

シルヴィオ・ベニーニョ・クレスピ
一八六八〜一九四四年。ロンバルディアの企業家。イタリアの木綿や自動車業界を牽引した。政治家としては、カトリック・リベラリストのグループに位置づけられる。

大きな食糧暴動は起こらなかった。これは、とりわけ、アメリカからの大量の食料輸入による。それゆえ、密商が出現することはなかった。

中立国でありながら、ドイツ軍と戦ったベルギーでも、終戦まで三〇〇万トンの食料を海外から輸入した。貧しい女性や子どもたちのために、食堂が設置された。一九一八年までに七六八の食堂が作られ、八万六〇〇〇の母親や子どもを養った。だが、状況は改善されず、子どもの死亡率は約三〇パーセントも高くなった、という。

ドイツの同盟国オーストリア・ハンガリー二重帝国は、同盟国ドイツと同じ程度に飢えで苦しんだ。食糧在庫量で優位に立つブダペシュト政府は、一九一六年は、ウィーン政府へ一〇万トンしか移出しなかった。戦前は、コンスタントに二〇〇万トン移出していたにもかかわらず。食糧問題は、ハプスブルク帝国内の分裂をもたらした一つの大きな要因となった。また、両政府とも、ドイツをモデルにした価格統制と配給制を導入した。ウィーンでは、一九一七年から一八年にかけての冬がもっともひどい状況になった。いたるところに安価格でスープを売る戦時食堂が登場した。皇帝の家族も、デモンストレーションのために、何度も戦時食堂に訪れた、という。

そして、汎スラブ主義の脅威からドイツに近づき、一九一四年一一月に参戦した同盟国のオスマン帝国も、兵士も市民もともに飢えに苦しみ、万単位の餓死者を出した。この原因には、たしかに国内の食糧生産の減退もあったが、交通の要である鉄道の整備がそもそも遅れていたことが挙げられる。鉄道網が単線であり、部分的には使用できなかったのである。栄養不足のため、兵士たちは夏にはマラリアやコレラに罹り、冬にはチフスに感染した。銃後においても似たような状況であったという。もちろん、一九一五年から一六年にかけて起こったアルメニア人虐殺において、「追放」と「餓死」を組み合わせた手段が用いられたことも忘れてはならない▼。

2 「カブラの冬」の遺産

以上にまとめた各国の事例を考慮にいれたうえで、最後に、ドイツの飢饉の歴史的布置、とくに後史との関係について考えてみたい。

第一に、七六万人の餓死者が出たにもかかわらず、また、あれほど頻繁に暴動が発生したにもかかわらず、ロシアのような社会主義革命が成立しなかったことが重要である。土地も国有化されず、戦後はヴァイマル共和国のもと、食品の関税を下げ貿易による食糧確保を目指しながら、一方で国内の農業近代化を促進し、生産力を上昇させる政策がなされた。帝政は崩壊したが、資本主義体制は残ったのである。これはつまり、貧富の差がそのまま反映した七六万人の餓死者の衝撃が、貧富の差を一定程度容認する資本主義社会のなかで温存されたことを意味する。それゆえ、ユンカー、労働者、資本家すべての利害の磁

▼アルメニア人の虐殺については松村高夫「トルコにおけるアルメニア人虐殺（一九一五〜一六年）」松村高夫・矢野久編『大量虐殺の社会史――戦慄の二〇世紀』（ミネルヴァ書房、二〇〇七）を参考にした。

場のなかでバランスを保つことしかできなかったヴァイマル共和国は、飢餓の原因を洗い出しそれを根底にすえた食糧政策を打ち立てられず、飢饉で苦い思いをしたり、親族を亡くしたりした人々の憎悪は行き場を失い、そういった人々のヴァイマル共和国の民主主義に対する不満が必然的に高まり、それがナチズム勃興の養分になった、という構図が描けるのである。

第二に、ドイツがイギリスを海上封鎖できなかったこと、同盟国の海軍力が連合国よりも弱かったことが大戦とその後史において決定的だった、ということの重要性はあらためて確認されるべきだろう。ドイツと同じ程度、食糧状況が厳しくなったフランスも、結局イギリスの海上封鎖に助けられ、中立国からの穀物を輸入することができた。軍事力でどれほど優位に立っているかよりも、食料が海上ルートで入手できるかできないかが、この戦争の最終的な勝敗を決めたのである。そして重要なことは、この体験が、逆にドイツを内陸中心の「広域経済圏」構想へと向かわせ、ナチズムの東方侵略を招いたことである。ヒトラーは海外植民地を欲しなかった。イギリスとは有好な関係を築こうとしたのも、やはり、海上封鎖が大きく響いたからである。そして、イギリスが、封鎖による無差別の攻撃、しかも、あのケインズが激しく批判したように、良心の呵責を感じずに相手国の住民を攻撃できた感覚は、のちのナチスの「飢餓政策」からアウシュヴィッツまでをもつらぬく二〇世紀的な暴力感覚である。

ゆえに、第三の歴史的意味は、飢饉の記憶と封鎖シンドロームが、戦後ドイツのナチズムに至る迷走に大きく影響を及ぼしていることである。先に述べたように、ドイツの資本主義体制が温存され、その食糧供給が再びアメリカの巨大な資本力をバックとする市場原理に委ねられ食糧不足が解消されたことで、食糧をめぐって大戦期に生じたさまざまな亀裂も解決されぬまま温存された。相対的安定期は、たしかに飢饉の荒々しい記憶を鎮めた。帝政の廃止によって、国民が主権者となり、ドイツの民主主義の弱さの象徴であった三級選挙法の廃止によって、憲法上、議会は国民の代表となった。社会権の制定により、社会国家が人々の生命を保障することになった。食糧農業省が誕生し、食糧政策への国家介入がよりきめ細やかになった。しかし、にもかかわらず、都市民の農民に対する不信、ドイツ人のユダヤ人に対する不信、民衆の政府に対する不信、兵士の銃後に対する不信、貧民の富裕者に対する不信など、深い亀裂はそのまま静かに共和国の地底に横たわりつづけた。ヴァイマル憲法の「法の下の平等」という鉄則は、大戦期の配給制ほどの平等さえ人々に与えなかった。だが、世界恐慌は、再び財産に基づく不平等を蘇らせる。世界恐慌により再び飢餓の恐怖が人々を襲った瞬間に、この亀裂は再びドイツ全土を走る。ナチスは、このような不信の束を「背後からの一突き伝説」として、つまり人種の問題として、しかも、しばしば忘れがちな大戦の犠牲者である女性や子どもをターゲットにして説明しつづけた。日々の生活苦を階級問題としてしか説明できなかった共産党よりも多数の支持者を獲得し、世界恐慌からの脱出口をドイツ国民に提示したのである。

休戦協定によって戦闘は終わり、講和条約によって戦争は終わった。しかし、戦争と飢饉がもたらした不信や憎悪や亀裂は簡単には消えなかった。フランスのドイツに対する莫大な賠償金がナチスをもたらした、ということはしばしば指摘される。これが、大戦が不時着した理由の一つであることは疑いをえない。しかしながら、大戦が終わり損ねた原因としてより重要だと思われるのは、ドイツ民衆の「食べものの恨み」がもたらした無数の亀裂である。これが、ほとんど修復されぬまま経済的復興を遂げたことが、戦間期ドイツの歩みを、徐々にナチズムへと向かわせたのである。

参考文献

Aereboe, Friedrich, *Der Einfluss des Krieges auf die landwirtschaftliche Produktion in Deutschland*, Stuttgart / Berlin / Leipzig, 1927.

Backe, Herbert, *Um die Nahrungsfreiheit Europas: Weltwirtschaft oder Großraum*, Leipzig, 1942.

Baudis, Dieter, Vom "Schweinemord" zum "Kohlrübenwinter", in: *Jahrbuch für Wirtschaftsgeschichte Sonderband*, Berlin, 1986.

Chickering, Roger, *The Great War and Urban Life in Germany: Freiburg 1914–1918*, Cambridge, 2007.

Corni, Gustavo / Gies, Horst, *Brot, Butter, Kanonen: Die Ernährungswirtschaft in Deutschland unter der Diktatur Hitlers*, Berlin, 1997.

Darré, Richard Walther, Das Schwein als Kriterium für nordische Völker und Semiten, in: *Volk und Rasse*, 2. Jg., Heft 3, München, 1927.

Darré, Richard Walther, *Das Bauerntum als Lebensquelle der nordischen Rasse*, München, 1929.

Davis, Belinda J., *Home Fires Burning: Food, Politics, and Everyday Life in World War I Berlin*, Chapel Hill/ London, 2000.

Fischer, Fritz, *Griff nach der Weltmacht: Die Kriegszielpolitik des Kaiserlichen Deutschland*, Düsseldorf, 1967.

Gerhard, Gesine, Food and Genocide: Nazi Agrarian Politics in the Occupied Territories of the Soviet Union,

Contemporary European History, 18, 1, 2009.

Glatzer, Dieter / Glatzer Ruth, *Berliner Leben 1914 - 1918: Eine historische Reportage aus Erinnerungen und Berichten*, Berlin, 1983.

Hahn, Walter, *Der Ernährungskrieg*, Hamburg, 1939.

Haushofer, Heinz, *Die deutsche Landwirtschaft im technischen Zeitalter*, Stuttgart, 1963.

Heim, Susanne (Hg.), *Autarkie und Ostexpansion: Pflanzenzucht und Agrarforschung im Nationalsozialismus*, Göttingen, 2002.

Hennig, Friedrich-Wilhelm, *Landwirtschaft und ländliche Gesellschaft in Deutschland 1750 bis 1976 (Band 2)*, Paderborn, 1978.

Hirschfeld, Gerhard / Krumeich Gerd / Renz Irina (Hg.), *Enzyklopädie Erster Weltkrieg*, Paderborn u. a., 2008.

Hitler, Adolf, *Mein Kampf*, München, 1939.

Hitler, Adolf, *Hitlers zweites Buch : ein Dokument aus dem Jahr 1928*, Stuttgart, 1961.

Keynes, John Maynard, *The Economic Consequences of the Peace*, London, 1920.

Kluge, Ulrich, *Agrarwirtschaft und Ländliche Gesellschaft im 20. Jahrhundert*, München, 2005.

Krüger, Hans / Tenius, Gustav, *Die Massenspeisungen*, Berlin, 1917.

Ludendorff , Erich, *Der totale Krieg*, München, 1935.

Offer, Avner, *The First World War: an agrarian interpretation*, Oxford / New York, 1989.

Reichsgesundheitsamt, *Schädigung der deutschen Volkskraft durch die feindliche Blockade*, 1918.

Roerkohl, Anne, *Hungerblockade und Heimatfront: Die kommunale Lebensmittelversorgung in Westfalen während des Ersten Weltkrieges*, Stuttgart, 1991.

Roerkohl, Anne, Schlachtfeld Heimat, in: Christine Beil u. a., *Der Erste Weltkrieg*, Berlin, 2006.

Rosenberg, Arthur, *Entstehung und Geschichte der Weimarer Republik*, Frankfurt am Main, 1983.

Mechtlid Rössler / Sabine Schleirmacher, *Der "Generalplan Ost": Hauptlinien der nationalsozialistischen Planungs- und Vernichtungspolitik*, Berlin, 1993.

Reischle, Hermann, *Kann man Deutschland aushungern ?*, Berlin, 1940.

Ruth von der Leyen, Die englische Hungerblockade in ihren Wirkung auf Kriminalität und Verwahrlosung Jugendlicher. In: Max Rubmann, *Hunger ! Wirkungen moderner Kriegsmethoden*, Berlin, 1919.

Schmidt-Klingenberg, Michael, Der Kampf in den Küchen, *Spiegel special: Ur-Katastrophe des 20. Jahrhunderts*, 1/2004, 2004.

Seidl, Alois, *Deutsche Agrargeschichte*, Frankfurt am Main, 2006.

Skalweit, August, *Die deutsche Kriegsnährungswirtschaft*, Stuttgart u. a., 1927.

Stumpf, Richard, *Erinnerungen an dem deutschen-englischen Seekriege auf S. M. S. Helgaland* (*Das Werk des Untersuchungsausschusses 1919–1928*), Berlin, 1928.

Trostel, Werner, *Schlagwort Brot : Politische Plakate des 20. Jahrhunderts*, Ulm, 1997.

Ullmann, Hans-Peter, *Das deutsche Kaiserreich 1871–1918*, Frankfurt am Main, 1995.

Vincent, C. Paul, *The Politics of Hunger: The Allied Blockade of Germany 1915–1919*, Athens u. a., 1985.

Hans-Ulrich Wehler, *Vom Beginn des Ersten Weltkriegs bis zur Gründung der beiden deutschen Staaten 1914–1949*: Deutsche Gesellschaftsgeschichte Bd. 4, München, 2003.

足立芳宏「戦時ドイツの農業・食糧政策と農林資源開発——食糧アウタルキー政策の実態」（野田公夫編）『農林資源開発の比較史的研究——戦時から戦後へ——（二〇〇七年度～二〇〇九年度科学研究費補助金　基盤研究

（B）研究成果報告書）』二〇一〇年。
新井京「封鎖法の現代的「変容」」（村瀬信也・真山全編）『武力紛争の国際法』東信堂、二〇〇四年。

エレボー、フリードリッヒ『独逸農業生産に対する大戦の影響』帝国農会、一九四〇年。

エリス、ジョン（越智道雄訳）『機関銃の社会史』平凡社、一九九三年。

外務省政務局『独逸ニ於ケル食料問題調査』一九一八年頃。

川越修『社会国家の生成』岩波書店、二〇〇四年。

菊池貢『世界大戦に於ける独逸の戦時食糧経済組織　上・下』海軍省医務局、一九二五年。

木村靖二『兵士の革命――1918年ドイツ』東京大学出版会、一九八八年。

木村靖二「第二章　第一次世界大戦下のドイツ」（木村靖二・山田欣吾・成瀬治編）『ドイツ史　三　一八九〇年〜現在』山川出版社、一九九七年。

グラッアー、ディーター／グラッアー、ルート（安藤実・斎藤瑛子訳）『ベルリン・嵐の日々　一九一四〜一九一八　戦争・民衆・革命』有斐閣、一九八六年。

ケインズ、ジョン・メイナード（早坂忠訳）『ケインズ全集第二巻　平和の経済的帰結』東洋経済新報社、一九七七年。

タックマン・W・バーバラ（山室まりや訳）『八月の砲声』ちくま学芸文庫、二〇〇四年。

豊永泰子『ドイツ農村におけるナチズムへの道』ミネルヴァ書房、一九九四年。

永井威三郎『日本の米』大日本雄辯会講談社、一九四三年。

長田浩彰「第一次世界大戦期のドイツ・ユダヤ人の動向――「中央協会」と「シオニスト連合」の協力関係を中心に」『広島大学総合科学部紀要　Ⅰ　地域文化研究』一七、一九九二年。

日本学術振興会第二一小委員会（編）『時局と農村　2』有斐閣、一九三八年。

ハーン、ワルター（永川秀男訳）『食糧戦争』平凡社、一九四〇年。

ヒトラー、アドルフ（平野一郎・将積茂訳）『我が闘争』角川文庫、一九七三年。

ヒトラー、アドルフ（立木勝訳）『ヒトラー第二の書』成甲書房、二〇〇四年。

フィッシャー、フリッツ（村瀬興雄監訳）『世界強国への道Ⅰ・Ⅱ――ドイツの挑戦、一九一四―一九一八年』岩波書店、一九七二年（Ⅰ）／一九八三年（Ⅱ）。

深井智朗『十九世紀のドイツ・プロテスタンティズム――ヴィルヘルム帝政期における神学の社会的機能についての研究』教文館、二〇〇九年。

藤原辰史『ナチス・ドイツの有機農業――「自然との共生」が生んだ「民族の絶滅」』柏書房、二〇〇五年。

藤原辰史「台所のナチズム――場に埋め込まれる主婦たち」池上甲一・岩崎正弥・原山浩介・藤原辰史『食の共同体――動員から連帯へ』ナカニシヤ出版、二〇〇八年。

古内博行『ナチス期の農業政策研究　一九三四―三六』東京大学出版会、二〇〇三年。

穂鷹知美『都市と緑――近代ドイツの緑化文化』山川出版社、二〇〇四年。

ホブズボーム、エリック・ジョン『二〇世紀の歴史　上巻　極端な時代』三省堂、一九九六年。

マクルーニ、ウィリアム・H『戦争の世界史――技術と軍隊と社会』刀水書房、二〇〇二年。

松村高夫「トルコにおけるアルメニア人虐殺（一九一五～一六年）」（松村高夫・矢野久編）『大量虐殺の社会史――戦慄の二〇世紀』ミネルヴァ書房、二〇〇七年。

三宅立『ドイツ海軍の熱い夏――水兵たちと海軍将校団』山川出版社、二〇〇一年。

三宅立「第一次世界大戦とドイツ社会」（若尾祐司・井上茂子編著）『近代ドイツの歴史――一八世紀から現代まで』ミネルヴァ書房、二〇〇五年。

森建資『イギリス農業政策史』東京大学出版会、二〇〇三年。

ルーデンドルフ、エーリッヒ（野間俊夫訳）『国家総力戦』三笠書房、一九三八年。

若尾祐司「第五章　工業化の進行と社会主義」（若尾祐司・井上茂子編著）『近代ドイツの歴史――一八世紀から現代まで』ミネルヴァ書房、二〇〇五年。

あとがき

本書の執筆は、ある種の疑念との格闘であった。

いうまでもないが、ここで取り上げてきた事例は、現在、世界各地によくみられる現象である。国連食糧農業機関（FAO）は、二〇一〇年、食事エネルギー摂取量が基礎エネルギー消費量の一・五四倍に満たない状態にある人口（飢餓人口）が、世界全体で九億二五〇〇万人になると試算した。去年の試算よりは約一億人減少しているとはいえ、依然として言葉を失う数値であることに変わりはない。こうした現在の飢餓の状況からすれば、本書で述べてきたような事実、つまり、ヨーロッパの一国が一時期体験したにすぎない飢饉の事実は読者の目にはあまりにも小さく映るのではないか。もちろん、飢餓の体験のない世代が飢餓の現実を知るきっかけになってほしいという願いはある。だが、これだけでいいのだろうか。

そしてもう一つ、経済大国ドイツの飢餓の状況を経済大国日本で紹介することにどれほどの意味があるのか、ということも頭から離れなかった。いや、ある意味、日本農業を憂える人にとってこの過去の出来事の意義は明らかかもしれない。つまり、食料輸入大国日本の行く末を考える材料である。もちろん、日本の農村の活気が失われつつあるいま、この意義を否定するつもりはない。私たちがアグリビジネスから、食べものだけではなく、食べものの見方、食べ方、感じ方までも輸入し、それを無批判に受容してしまっているという事実を知る。そのための材料として、「カブラの冬」や「豚殺し」は少なからぬ示唆を与えてくれるだろう。しかし、結局は、「先進国」中心主義的な見方を補強することになりはしないか。「飢饉からナチズムへ」という章を加えたのは、せっかく本書を手にとっていただいた読者との交流を、これだけで終わらせたくなかったからである。七六万人の死者とともに地球上から消えていったのではない。ヴァイマル共和国の経済的・文化的繁栄の影で人々の心に沈殿していた飢餓への恐怖と、「敵」を遠隔操作で消し去る暴力感覚は、たとえば、一九三二年から三三年にいたるウクライナの大飢饉に典型的にみられるように、あるいは、空爆、原子爆弾、枯葉剤を経てクラスター爆弾に至るまで、第一次世界大戦以降の時代を生きる人間たちの精神の、恐るべき基調であった。すでに述べたように、ナチスは、主観的には子どもたちのパンのために戦争を仕掛けた。二度と子どもたちを飢えさせないために、囚人の特殊部隊の手で大量のユダヤ人や政治犯の死体をフォーディズム的様式で大量生産することをナチスは選んだ。この暴力感覚は、大戦期の憎悪の報復合戦のなかで産声をあげ、いまなお現代社会を霧のように覆っている。霧の向こう側で、人々は飢えている。こちら側では、広告料で外皮の肥大した食べものを謳歌し、その贖罪としての、ロハスやらオーガニックやらショクイクやらに踊らされながら、「食べものっていのちの根源ですよね」と語り合う。こんな社会が、視界ゼロの極楽に到来するのもそう遠くないだろう。だからこそ、せめて、大戦が生んだ無関心と暴力の結託、そしてそれを増進させた飢餓という大量破壊兵器の生成過程を描き出すことは意味のないことではないはずだと、自分に言い聞かせながら執筆した。

本書のもとになったのは、二〇〇九年後期に京都大学の全学共通科目で行なった大戦に関するリレー講義（私の担当日は一一月一二日と一九日）と、二〇一〇年一一月二一日に京都大学農学部自治会北部祭で企画された講演会「ぼくたちを飢えさせないで！——第一次世界大戦期の飢餓体験とナチズム」である。飢えて死んでいった子どもたちの命の重さによろめきながら、当時の新聞やパンフレットを読んだり、画集やポスターを収集したり、統計を眺めたり、先行する都市史研究を参考にしたりしたが、あまりも大量の情報を完全に消化できずパッチワークのような講義ノートしか作成できなかった。しどろもどろの講義を聞く学生や院生、さらには一般の方の目は、しかし申し訳ないくらいに真剣であった。受講者の何人かは、自分の生命基盤の脆さや、ナチズムという現象をどのように受け入れればいいか分からなくなってしまったことを、レポートのなかで率直に書いていた。霧のなかの極楽に身を委ねるよりは地獄をのぞいてみようとする受講者の勇気に私は励まされた。

近代ドイツ史研究者の服部伸さんには、草稿の段階で読んでいただき貴重なコメントを頂戴した。また、人文書院の井上裕美さんとの打ち合わせや手紙のやりとりのなかで、地獄を描くならばユーモアが必要であることを学んだ。力むことしか能のない筆者には有り難い執筆環境であった。深く感謝申し上げたい。

二〇一〇年一〇月

藤原辰史

1917	**8. 1**	**戦艦「摂政ルーイポルト」で、水兵たちの上陸ストライキ（-2）**
	11. 5	ロシア十月革命（-7）。レーニンを首班とする労農政府
	12. 1	**ハンブルク市庁舎前で、「飢餓に対する抗議」運動**
	12. 3	ロシアと同盟国側との単独停戦協定（-22）
1918	1. 8	アメリカ大統領ウィルソンの「十四ヵ条」演説
	1. 28	**ベルリンなど諸都市で大衆ストライキ。ブレスト・リトフスクでの即時講和、民主的選挙権、食糧状況の改善を訴える。全国で100万人以上の参加**
	3. 3	ブレスト・リトフスク条約調印。ロシアはポーランド、バルト海沿岸諸国、フィンランド、ウクライナを放棄
	3. 21	ドイツ軍が西部戦線で大攻勢を開始
	7. 15	第二次マルヌの戦い（-8. 3）：イギリス、フランス、アメリカ軍の反攻開始
	7. 18	連合国側の反撃
	7. 23	**富山県魚津市で米騒動。以後、全国に広がる**
	8. 8	英仏連合軍、アミアンでの攻撃。ドイツ軍大打撃。「ドイツ陸軍の暗黒の日」（ルーデンドルフ）
	9. 29	最高司令部、停戦工作を開始
	10. 3	マックス・フォン・バーデンが首相に。「十四ヵ条」に基づいた連合国との停戦を模索
	10. 24	ヒンデンブルクとルーデンドルフ、戦闘の再開を要求
	10. 26	ルーデンドルフの解任。ヴィルヘルム・グレーナーが跡を継ぐ（第四次 OHL）
	11. 3	**キール軍港でドイツ水兵の反乱。労兵レーテが権力を掌握**
	11. 5	キールからドイツ全土へ革命が広がる（-8）
	11. 9	ヴィルヘルム二世退位。フィリップ・シャイデマン、社会主義共和国の樹立を宣言
	11. 11	休戦：エルツベルガー、コンピエーニュの森で停戦に署名
1919	1. 18	パリで講和会議が開催
	3. 21	**戦時食糧庁、食糧農業省に**
	6. 28	ヴェルサイユ条約調印
	7. 11	イギリスによる封鎖が終了
	8. 11	ヴァイマル憲法の制定

1915	1. 18	日本が「対華二十一ヵ条要求」を提出
	1.	**イギリス、食糧も戦時禁制品リストに加える。また、自由品の肥料も禁制品に。アメリカからドイツへの食糧輸入船は全て拿捕できる**
	1. 19	ドイツ軍がツェッペリン飛行船によるイギリス空爆を開始
	1. 25	**ドイツでパンの配給切符導入**
	2. 4	ドイツがイギリス周辺海域を交戦海域と宣言し、潜水艦による攻撃を警告
	4. 22	第二次イープル戦（-5. 24）：ドイツ、西部戦線初の毒ガス大量使用
	5. 7	イギリス客船「ルシタニア」がドイツ軍潜水艦の無警告攻撃で沈没。128名のアメリカ人が死亡。アメリカと対立
	9. 25	**帝国価格調査局の設立**
	10. 28	**帝国議会、「肉なし・油脂なしデー」の導入を議決**
1916	2. 21	ヴェルダンの戦い
	2.	**クラインガルテン蔬菜栽培中央局の設立**
	5. 22	**戦時食糧庁の設置**
	7. 1	ソンムの戦い（-11. 18）：9. 15 史上初の戦車投入
	8. 29	第三次最高司令部成立。ヒンデンブルクが参謀総長、ルーデンドルフが参謀次長に
	9. 30	「ヒンデンブルク綱領」。追加労働力の動員および軍需品生産の向上
	10. 11	プロイセン陸軍省、ユダヤ人センサスの発令
	10. 24	ヴェルダンにおいて、フランスの反撃開始
	12. 5	帝国議会、祖国のための援助奉仕法を議決
1917		**「カブラの冬」。この冬、配給量が成人1日1313キロカロリーに**
	1. 22	ウィルソン、上院で「勝利なき講和」と「民族自決」の演説
	2. 1	ドイツ軍が潜水艦による無制限攻撃を宣言
	3. 8	ロシアで二月革命（-15）
	3. 15	ロシア皇帝退位
	4. 6	アメリカ参戦
	4. 8	ヴィルヘルム二世、「復活祭勅令」で不平等選挙の撤廃を約束
	4月半ば	**ベルリン、ライプツィヒ、その他のドイツの大都市で「ハンガーストライキ」**
	7. 6	中央党のマティアス・エルツベルガー、帝国議会で併合のない「協調による平和」を提唱
	7.	ゴータで、ドイツ独立社会民主党が結成される

略年表 特に食にかかわる項目は太字

年	月日	出来事
1914	6. 28	サライェヴォ事件
	7. 28	オーストリアがセルビアに宣戦布告
	7. 30	ロシア、総動員令発布
	8. 1	ドイツ、ロシアに宣戦布告。ドイツ、フランス、総動員令発布
	8. 2	ドイツ、ベルギーに最後通牒。国内を自由に通過できるよう要請
	8. 3	ドイツ、フランスに宣戦布告。イギリス軍、動員。イギリス、ドイツに最後通牒。ルーマニア、中立宣言
	8. 4	ドイツ、ベルギーに侵入。イギリス、ドイツと断交。ドイツ皇帝、帝国議会で「今日この日より、余はいかなる政党も認めない。ただドイツ国民あるのみ」と演説 **最高価格に関する法律**
	8. 6	オーストリア・ハンガリー、ロシアに宣戦布告。セルビア、ドイツに宣戦布告
	8. 20	**この日の勅令と10月22日の勅令によってロンドン宣言のリストを否認、ドイツの輸入品のほとんどすべての物品を戦時禁制品に指定する**
	8. 15	ロシア、東プロイセンに進軍
	8. 23	日本参戦
	8. 26	タンネンベルクの戦い（-30）
	9. 2	ドイツ軍、マルヌに到着し、パリを脅かす。フランス政府はボルドーに移る
	9. 6	第一次マルヌの戦い（-10）→西部戦線膠着へ
	9. 14	モルトケ、参謀総長を辞任。後任はファルケンハイン
	10. 4	93名のドイツの学者・文化人が、「文化世界への声明！」
	10. 28	**穀物と麬の最高価格を布告。パン用穀物および穀粉の家畜飼料化禁止。Kパンの規格を定める**
	11. 2	**イギリス海軍、北海全域を戦域に指定。中立国の商船のためにルートを確保**
	11. 23	**食用ジャガイモの最高価格を種類別に布告**

藤原辰史（ふじはら・たつし）
京都大学人文科学研究所准教授。専攻は食の思想史、農業史。1976年、北海道に生まれ、島根県に育つ。京都大学人間・環境学研究科博士後期課程中途退学。博士（人間・環境学）。おもな著書に『農の原理の史的研究』（創元社、2021）、『縁食論』（ミシマ社、2020）、『分解の哲学』（青土社、2019、第41回サントリー学芸賞）、『食べるとはどういうことか』（農文協、2019）、『給食の歴史』（岩波新書、2018）、『戦争と農業』（集英社インターナショナル新書、2017）、『トラクターの世界史』（中公新書、2017）、『食べること考えること』（共和国、2014）、『稲の大東亜共栄圏』（吉川弘文館、2012）、『ナチスのキッチン』（水声社、2012、共和国〔決定版〕2016、第一回河合隼雄賞学芸賞）、『ナチス・ドイツの有機農業』（柏書房、新装版2012、第一回日本ドイツ学会奨励賞）、『中学生から知りたいウクライナとのこと』（小山哲と共著、ミシマ社、2022）、『現代の起点　第一次世界大戦』全4巻（共編著、岩波書店、2014）、『第一次世界大戦を考える』（共編著、共和国、2016）などがある。なお、本書を含む「農業と食におけるナチ・エコロジズムの批判的考察」で、第15回日本学術振興会賞を受賞。

レクチャー　第一次世界大戦を考える
カブラの冬——第一次世界大戦期ドイツの飢饉と民衆

2011年1月20日　初版第1刷発行
2022年7月30日　初版第6刷発行

著　者　藤原辰史
発行者　渡辺博史
発行所　人文書院
〒612-8447　京都市伏見区竹田西内畑町9
電話　075-603-1344　振替　01000-8-1103
装幀者　間村俊一
印刷・製本　創栄図書印刷株式会社

落丁・乱丁本は小社送料負担にてお取り替えいたします

ISBN978-4-409-51112-1　C1320

レクチャー　第一次世界大戦を考える

徴兵制と良心的兵役拒否 イギリスの第一次世界大戦経験	1500円	小関　隆
「クラシック音楽」はいつ終わったのか？ 音楽史における第一次世界大戦の前後	1500円	岡田暁生
複合戦争と総力戦の断層 日本にとっての第一次世界大戦	1500円	山室信一
カブラの冬 第一次世界大戦期ドイツの飢饉と民衆	1500円	藤原辰史
表象の傷 第一次世界大戦からみるフランス文学史	1500円	久保昭博
葛藤する形態 第一次世界大戦と美術	1500円	河本真理
マンダラ国家から国民国家へ 東南アジア史のなかの第一次世界大戦	1600円	早瀬晋三
捕虜が働くとき 第一次世界大戦・総力戦の狭間で	1600円	大津留厚
戦う女、戦えない女 第一次世界大戦期の ジェンダーとセクシュアリティ	1600円	林田敏子
戦争のるつぼ 第一次世界大戦とアメリカニズム	1600円	中野耕太郎
隣人が敵国人になる日 第一次世界大戦と東中欧の諸民族	1600円	野村真理
アフリカを活用する フランス植民地からみた第一次世界大戦	1600円	平野千果子

以下続刊予定

表示価格（税抜）は2022年７月現在